Fritz Strich · Goethes Faust

FRITZ STRICH

GOETHES FAUST

FRANCKE VERLAG BERN

UND MÜNCHEN

Aus dem Nachlaß
herausgegeben von Dr. Gertrud Strich-Sattler

VORWORT

FRITZ STRICHS *wissenschaftlicher Nachlaß besteht aus Stößen von Material, von Notizen und Vorarbeiten, handschriftlich niedergelegten Gedanken und Gedankenfolgen zu seinen Vorlesungen und Seminarien: engbeschriebenen Blättern, die sich im Laufe der Jahre und Jahrzehnte angehäuft haben, ganze Schränke füllen und schwer zu lesen und zu ordnen sind. Die Geschichte der deutschen Literatur von der Renaissance bis zum Expressionismus ist vollständig in ihnen enthalten und darüber hinaus eine den gleichen Zeitraum umfassende Geschichte der deutschen Literatur in ihren Beziehungen zur Weltliteratur.*

Und dies alles war schon einmal, ja mehrmals auch wirklich vorhanden: in den Vorlesungen nämlich, die er gehalten hat, souverän und klar aufgebaut, wohlformuliert und ausgearbeitet und bis auf Einzelheiten, die etwa noch zu bereinigen gewesen wären, zum Drucke bereit.

Wenn man die lange Reihe dieser Vorlesungen überblickt, so ist man erstaunt über den Reichtum, der da vorliegt. In all den vierundzwanzig Jahren seines Wirkens an der Universität Bern hat Fritz Strich jedes Semester vierstündige, ständig wachsende Vorlesungen gehalten, und zwar über folgende Themen: «Die deutsche Literatur im Zeitalter der Renaissance und des Barock»; «Die Geschichte der deutschen Literatur vom Barock bis zum Sturm und Drang»; dann: «Der deutsche Sturm und Drang»; und weiter über «Die deutsche Klassik»; «Die deutsche Romantik»; «Die deutsche Literatur seit der Romantik»; «Die deutsche Literatur des 19. Jahrhunderts». Neben diesen großen Vorlesungen, deren Titel manchmal leicht variierten, las er jedes Semester noch ein- oder zweistündig über die deutsche Literatur «Vom Naturalismus zum Expressionismus»; «Die deutsche Dichtung der Gegenwart»; «Die Beziehungen der deutschen Literatur zur Weltliteratur von der Renaissance bis Goethe»; über «Goethe und die Weltliteratur» (welch letztere Vorlesung dann zu einem Buche ausgearbeitet wurde); und «Die Beziehungen der deutschen Literatur zur Welt-

literatur von Goethe bis Nietzsche»; oder über «Die Epochen der europäischen Literatur».

«Mit welcher Meisterschaft Strich», so schrieb einer seiner Schüler im Jahre 1952, «die ganze Geschichte der deutschen Literatur von Luther bis heute beherrscht, davon gibt das bisher erschienene Werk nur einen teilweisen Eindruck. Die Arbeit über Renaissance und Reformation, *die Abhandlungen über den* Barock, *das Buch über* Klassik und Romantik *und weitere Veröffentlichungen sind – abgesehen von ihrem eigenständigen Sinn – zugleich Fragmente einer ‚Geschichte der deutschen Literatur‘, von denen man aufs lebhafteste wünschte, sie möchten eines Tages aus einer Vorlesungsreihe zu einem Buche werden! Die Kraft der Zusammenschau und nicht weniger ein eminent historischer Sinn für alles Übergängliche in der Geschichte müßten gerade heute befruchtend wirken*[1].»

Das gilt auch heute noch so sehr wie vor mehr als einem Jahrzehnt, und es gilt nicht nur für seine Vorlesungen über die deutsche *Literatur, sondern für* alle *seine Vorlesungen, ganz besonders auch die weltliterarischen.*

Doch wird dies nun wohl, soweit ich es bis jetzt wenigstens beurteilen kann, ein unerfüllter Wunsch bleiben müssen.

Denn zu all diesen Vorlesungen gibt es keine fertigen Manuskripte. Diese für uns so schmerzliche Tatsache erklärt sich aus der Art, wie Fritz Strich seine Vorlesungen hielt.

Nie trat er mit einem schriftlich ausgearbeiteten Text vor seine Schüler hin. Es waren einzelne Notizen und Gedankenfolgen, die er in seinen Vorlesungen vor sich hatte[2]. *Im* Sprechen – *seinen Hörern gegenüber – fand er die ihm gemäße, die vollendete Form, den Ausdruck für sein reiches Wissen und seine tiefen Einsichten, eine Form, die jeden Hörer glauben ließ, daß er ein ausgearbeitetes, ja druckfertiges Manuskript vor sich habe.*

Sein Stil erwuchs aus dem Vortrag, und wenn es gewiß nicht so ist, daß Fritz Strich alles, was er im Drucke erscheinen ließ, für den Vortrag bestimmt oder jemals öffentlich vorgetragen hätte, und wenn er auch, ehe er ein Buch veröffentlichte, noch viel daran arbeitete, verbesserte und ergänzte, selbst wenn er über dessen Thema schon Vorlesungen gehalten hatte, so kann man doch Samuel Singer weitgehend recht geben, wenn er in seiner schönen Würdigung zu Strichs 60. Geburtstag schrieb, er habe in seinem «berühmten» Werke «Deutsche Klassik und Romantik oder Vollendung und Unendlichkeit» zuerst seinen Stil gefunden. «Was er bis dahin verfaßt hatte, sind ‚Bücher' gewesen; dieses ist zum erstenmal ganz auf dem Vortrag aufgebaut, eine Sammlung von Vorträgen, die durch einen einheitlichen Gedanken zusammengefaßt sind. Dieser sein Vortrag, dessen Wirkung sich keiner zu entziehen vermag, der ihn nur einmal gehört hat, hat etwas Magisches an sich, das aus der innerlichsten Überzeugtheit des Vortragenden stammt, eine Wirkung, die bloßer Beredsamkeit versagt ist. Die wie mystisch umflorte Stimme muß man wohl im Druck vermissen, das echte, niemals theatralische Pathos des Vortragenden, das eher an den Propheten als an den Prediger gemahnt, macht sich aber durch alle Gebundenheit der schriftlichen Überlieferung hindurch geltend[3].» Und Karl Jaberg sagt in einem Brief an Fritz Strich[4]: «Ich lese gerne vor, was Sie schreiben; denn was Sie schreiben, ist gesprochen gedacht, selbst dann, wenn es nicht für den Vortrag bestimmt ist ... Sehe ich richtig, wenn ich meine, daß alle Ihre Vorträge Reden sind, Reden im besten Sinne des Wortes, und daß sie diesem Umstande ihre Eigenart, ihre Bedeutung und ihre starke Wirkung verdanken?»

Dies also erkannten die beiden bedeutenden Gelehrten ganz anderer Richtung und Prägung, der Germanist Singer und der Romanist Jaberg.

Vortrag, Rede? Es wäre zu unterscheiden, und Fritz Strich hat den Unterschied auch selber herausgearbeitet in dem aufschlußreichen Vorwort zu seiner Sammlung schweizerischer Akademiereden[5], aufschlußreich nicht nur für das akademische Leben der Schweiz, dem diese Sammlung ein Denkmal setzen wollte, sondern auch für Fritz Strich selbst, für das, wozu er als Wissenschafter und als akademischer Lehrer von innen her genötigt war, was er selbst an sich erfuhr und zu erfüllen vermochte.

Der Unterschied zwischen akademischem Vortrag und Rede besteht danach kurz zusammengefaßt darin, daß der Vortrag ohne falsche Popularisierung, aber mit echter Allgemeinverständlichkeit die Resultate akademischer Forschung in weite Kreise hinaustragen will. Die im Rahmen akademischer Anlässe gehaltene Rede aber hat einen anderen Sinn, und sie ist auch repräsentativer für den Charakter des akademischen Lebens in der Schweiz. Sie gibt gleichsam seine Substanz, seine Essenz in schönster Form. Der Vortrag will unterrichten und belehren; die Rede will orientieren, zur Besinnung und Betrachtung aufrufen, den Weg und das Ziel der wissenschaftlichen Bildung weisen. Auch in der Form will sich die Rede vom Vortrag unterscheiden. Sie ist festlicher, gehobener und erhebender, beschwingter und beschwingender.

Vortrag und Rede: sie entsprachen – so aufgefaßt und unterschieden – beide Fritz Strichs Persönlichkeit, seinem inneren und äußeren Auftrag und seiner Begabung je nach dem Anlaß und der jeweiligen Gelegenheit. Doch der wesentliche Zug, der uns hier interessiert, ist dieser: Es geht um den gesprochenen *Stil, das lebendige, das ins Leben wirkende Wort.*

Fritz Strich war in hohem Maße des Wortes, der Sprache mächtig, und das ist ein Grundzug seines gesamten Werkes. Nicht nur in der Dichtung, sondern auch im Bereiche der Wissenschaft erschien Sprache ihm selber als eine schöpferische Macht. «Jeder, der dem Zauber der Dichtung zugänglich ist, kann es an sich selbst erfahren, daß dichterische Sprache eine magische Beschwörung ist, welche die Dinge, die sie benennt, wirklich erst ins Leben ruft. Das scheint freilich für den wissenschaftlichen Menschen ein seltsames Bekenntnis zu sein. Aber auch im Bereich der Wissenschaft erscheint die Sprache als eine schöpferische Macht. Denn sie ist es erst, die nach Kategorien des menschlichen Geistes eine geistige Wirklichkeit gestaltet. Sie ist es, die das gestaltlose Chaos der sinnlichen Eindrücke nach den Kategorien von Raum und Zeit und Kausalität, von Einheit und Mannigfaltigkeit, von Dauer und Verwandlung, von Allgemeinheit und Besonderheit und von Zusammenhang jeder Art zu einem geistigen Kosmos bildet. Kein Wort, keine

8

Wortverbindung, kein Satz kann ohne diese Formen entstehen, die den Geist zum Geist, den Menschen zum Menschen machen. Aber die Sprache erst schafft die geistig-menschliche Welt. In Sprache erst wird sie und ist sie. Sprachschöpfung ist Weltschöpfung zugleich. Die Sprache ist darum noch nicht Dichtung. Aber sie ist gleichsam die Entelechie der Dichtung, die sich in ihr verwirklicht[6].»

Voraussetzung zu einem solch gesprochenen Stil, zu einer solch schöpferischen Art des Vortrags war nun aber bei Fritz Strich – und das kann man nicht genug betonen – sein umfassendes Wissen. Er konnte immer und zu jeder Zeit aus dem vollen schöpfen. Auf jede Frage seines Fachs – und nicht nur seines Fachs – hatte er in jedem Augenblick die Antwort bereit. Seine Sprache war bei aller Schönheit schlicht und von hoher Konzentration. Hinter jedem gesprochenen Wort, wie natürlich auch in seinem geschriebenen Werk, lag und liegt eine ganze Welt, ein großer Reichtum an Gelehrsamkeit, Erkenntnis und Einsicht. Man versteht ihn nicht, wenn man dies nicht sieht.

Er hat es sich nie leicht gemacht. Sein Werk ließ ihm keine Ruhe, das Material, die Vorarbeiten wurden ständig vermehrt und revidiert. Nie hat er eine Vorlesung zweimal gleich gehalten. Jedesmal entstand sie neu.

Wer seine Vorlesungen gehört und jemals ein Seminar bei ihm besucht hat, weiß es. Er verlangte viel von sich selbst wie von seinen Schülern. «Wer in seinem Seminar saß, das eine Doppelstunde schärfster intellektueller Anspannung war», so schreibt einer seiner Schüler im Jahre 1963, und er sagt es für unzählige, «weiß davon zu berichten. Wer in der Seminararbeit, die stets anspruchsvoll gestellt war, pfuschte, den konnte er, im Innersten wohl selbst bewegt von so viel Härte, in der Kritik bloßstellen; doch wenn er es tat, so geschah es darum, weil er von der Höhe, der Integrität seiner Aufgabe als akademischer Lehrer, von der Begeisterung, der Verantwortung für die deutsche Literatur erfüllt war. Er duldete keine Halbheiten, duldete sie um so weniger, als gerade seine Methode der phänomenologischen, der synthetischen Betrachtung der Literatur viele, die es sich im Wohlsein über die Schönheit Hölderlinscher Verse bequem machen wollten, dazu verleitete, ästhetisch zu

9

orakeln. *Was er verlangte, was er unbedingt innehielt, war eine aufs genaue gestellte, aufs Detail bedachte, die Analyse mit umsichtigster Akribie pflegende Arbeit, die erst darnach, wie bei ihm selbst, zur Synthese fortschreiten durfte*[7].» Und ein anderer sagte es schon früher so: «*Aber das hochstrebende Geistesgebäude ruht auf solidesten Fundamenten. Dafür bürgt die nie geendete Reihe einzelner Interpretationen, mit denen der gründliche Philologe Strich dem glänzenden Synthetiker Strich immerfort Vorarbeit leistet. Deutung freilich heißt bei Strich niemals kaltsinniges Zerpflücken der dichterischen Zartgebilde. Was er will und leistet, ist feinfühlige Erhellung. – Die heutige Literaturwissenschaft stellt die einzelne Deutung an sich selbst gern ins Licht, für Strich bleibt sie eher bloß Stufe zum zusammenfassenden Ergebnis – geleistet ist sie doch!*[8]»

Singer sah sogar das Bahnbrechende von Strichs Werk «Deutsche Klassik und Romantik» «*nicht so sehr in der Begriffsbestimmung als Vollendung und Unendlichkeit als vielmehr in dem Beleg für diese Polarität in der meisterhaften Analyse und Vergleichung klassischer und romantischer Dichtungen*»[9].

Dies ist nun wohl, wie oft bei Singer, eine absichtlich überspitzte Formulierung, erinnert aber doch mit Recht daran, wie früh schon bei Strich die meisterhafte Analyse von Gedichten zu finden ist. Sein Werk stand am Anfang der dann lange nachher so weit verbreiteten Interpretationskunst, von deren Verabsolutierung er sich in seinen späten Jahren eindeutig distanzierte.

Fritz Strich war ein tief musischer Mensch und den Dichtern sehr nahe. Liebender Umgang mit der Dichtung war ihm Bedürfnis. Er fühlte sich ihr innerlich verpflichtet und nahm sie ernst. Er nahm auch seine Aufgabe als akademischer Lehrer ernst: die Aufgabe, den jungen Menschen diese Dichtung zu erschließen. «Übungen zur wissenschaftlichen Behandlung von Gedichten» oder «Dichtungen»; «Übungen in vergleichender Literaturwissenschaft»; «Formprobleme der deutschen Dichtung»; «Interpretationsübungen»; «Übungen in Analyse und Vergleich von Dichtungen»: so und ähnlich lauteten die immer wiederkehrenden Ankündigungen zu seinen Seminarien und Proseminarien; immer wiederkehrend in der allgemeinen Ankündigung, immer neu in der jeweiligen Ausführung. Und in der Arbeit an seinem Schreibtisch leistete er Tag für Tag mit äußerster Genauigkeit und wissenschaftlicher Akribie die eigene Vorarbeit dazu wie zu seinen Vorlesungen und zu seinen Büchern. Man kann das in dem schriftlich überlieferten Werk von Fritz Strich deutlich erkennen und ist erstaunt, daß es überhaupt möglich ist, es nicht zu sehen, wie es da und dort etwa geschehen ist. Kritische Gesamt- und Teilausgaben von Dichtern, in langjährigem, heißem Bemühen geschaffen, liegen vor und bezeugen es – neben seinen Werken – aufs eindrücklichste: Die Analyse, die Interpretation, die Vorarbeit ist in hohem Maße geleistet. Wie verstand er es, ein kleinstes Gedicht liebevoll und behutsam zu deuten. Aber daß man nicht am Texte kleben bleiben und über der Kleinarbeit den Blick auf das Ganze, Große, Weite nicht verlieren darf, auch das hat er selber gelehrt und geleistet. Er stellte wesentliche Fragen und vermochte es, den widerstrebenden Stoff zu formen und zu gestalten. Das Chaos zum Kosmos zu ordnen, aus einem unübersichtlichen Wust von Material zu klarer Deutung und Darstellung zu gelangen, danach ging sein Streben. Er zielte auf Synthese, doch der Aufbau ruhte auf Analyse und Vergleich. Er war sowohl Gelehrter wie schöpferischer Künstler. Analyse und Synthese, Wissenschaft und Kunst standen im Gleichgewicht, in schöner Harmonie. Thomas Mann sagte einmal von ihm, er habe «durch Jahrzehnte eine glänzende, höchst fruchtbare und belebende Lehrtätigkeit entfaltet und dabei nicht aufgehört, die geistige Welt mit Werken zu beschenken, in denen ein profundes und ausgebreitetes Wissen sich mit spiritueller Heiterkeit und schriftstellerischer Schönheit vereint» [10].

Harmonie, Gleichgewicht: sie waren ihm Lebensbedürfnis. Wo sie gestört wurden, griff er ein, um der einen Seite – wenn auch gelegentlich unter starker Betonung – gegenüber der andern zum Recht zu verhelfen, wie es etwa im Falle George und Rilke geschah, wo er sich gegen die Hybris der Vergottung Georges und die Vermessenheit seiner Beurteilung wandte und für den damals in Deutschland fast vergessenen Rilke *eintrat*[11], *und später, auf dem Höhepunkt des Rilke-Kultes, als er in Briefen und Gesprächen sich für George einsetzte, den eine jüngere Generation kaum noch kannte. Gerechtigkeit zu üben und das verletzte Maß wieder herzustellen: dazu drängte es ihn und dafür stand er ein in frühen und in späten Jahren, im Kreise seiner Freunde wie auch im Hörsaal und in seinem Werk. Auch seine persönliche Einstellung zur deutschen Romantik, die im Laufe seines langen Lebens und durch schwere Erschütterungen hindurch sich wandelte, ohne daß dadurch allerdings die Gültigkeit der Begriffsbestimmung von Klassik und Romantik als Vollendung und Unendlichkeit, wie sie in seinem Buche herausgearbeitet ist, in Frage gestellt worden wäre, gehört in diesen Zusammenhang*[12]. *Zuletzt noch in dem Vorwort seines 1960 erschienenen Buches «Kunst und Leben»*[13], *wandte er sich gegen die* Einseitigkeit, *die dadurch verursacht wird, daß man der Literaturwissenschaft nur diese einzige Bestimmung zuerkennt, den Text eines Gedichtes durch Interpretation verständlich zu machen. «Nicht gegen die Interpretation, sondern die Einseitigkeit ihres Gebrauches wende ich mich. Man will der Literaturwissenschaft ihre Souveränität bewahren, indem man sie von der Geistesgeschichte abzusondern versucht.» Nicht auf Absonderung, sondern auf Einheit und Ganzheit kam es ihm an: «Die Interpretation schafft nur die selbstverständlichen Voraussetzungen und elementaren Grundlagen für die Lösung der Fragen, welche die Dichtung an die Wissenschaft stellt. Dichtung ist eine unteilbare Einheit und Ganzheit, welche die menschliche Einheit und Ganzheit, die noch im Dichter lebt, zum Ausdruck bringt. Im kleinsten Gedicht offenbart sich die Weltanschauung, die Religion, das Gesellschaftsgefühl des Dichters. Geistesgeschichte und Kunstgeschichte zu trennen, beruht auf einem verhängnisvollen Irrtum. Denn die Kunst ist ein Ausdruck des Geistes und nimmt an seiner Bestimmung teil, sich des ganzen Lebens zu bemächtigen. Philosophie, Religion und Gesellschaft gehören der Dichtung an, wenn sie nämlich das* dichterische Erlebnis *all dieser Lebensformen gestaltet, und dies gilt es zu ergründen.»*

Was nun von dem ganzen Lebenswerk Fritz Strichs, von seinen Vorlesungen wie von seinen veröffentlichten Werken gilt, gilt auch von seiner

12

Arbeit am «Faust». Er hat sich in den letzten Jahrzehnten und bis kurz vor seinem Tode immer wieder intensiv mit Goethes «Faust» beschäftigt. Im Sommersemester 1932 las er zum erstenmal an der Universität Bern über dieses Thema, und 1933 sprach er als Gastprofessor der Columbia University von New York in verschiedenen Städten Nordamerikas über Goethes «Faust». Ausgebaut und neubearbeitet und immer wieder gehalten wurden diese Vorlesungen dann an der Berner Universität in den dreißiger und vierziger Jahren bis kurz vor seinem Rücktritt[14]*, und in seinem Seminar behandelte er mit seinen Studenten aufs genaueste und ausführlichste Goethes große Dichtung. Eine Rede, die er in festlichem Rahmen im Jahre 1938 zur Aufführung des ersten Teiles «Faust» im Berner Stadttheater hielt, wurde auch gedruckt*[15]*. Gedruckt wurde ein im Jahre 1948 in der Londoner «Goethe Society» gehaltener Vortrag über den «Homunculus»*[16]*. Die Rede aus dem Jahre 1938 enthält in gedrängter Form die Grundidee des vorliegenden Buches, der Londoner Vortrag eine viel ausführlichere Darstellung des Themas «Homunculus», als sie hier, im Zusammenhang einer Deutung der ganzen Faustdichtung, geboten werden kann. In seinem Werke über «Goethe und die Weltliteratur»*[17]* hat sich Fritz Strich in verschiedenen Kapiteln ausführlich mit Goethes «Faust» befaßt, aber, wie er selber sagt, ist der Sinn dieses Buches in der Zusammenschau und darin zu sehen, daß alles unter den Gesichtspunkt der Goetheschen Weltliteraturidee gestellt worden ist, wodurch auch jede Einzelheit in neue Beleuchtung trat. Auch in fast allen andern Werken Strichs: angefangen von den zwei Bänden der «Mythologie in der deutschen Literatur von Klopstock bis Wagner*[18]*» über «Deutsche Klassik und Romantik», «Dichtung und Zivilisation», «Der Dichter und die Zeit» bis zu «Kunst und Leben» ist immer wieder mehr oder weniger ausführlich von Goethes «Faust» die Rede.*

Als er dann im Winter 1960/61 im hohen Alter von fast achtzig Jahren, von Krankheit gezeichnet, aber in ungebrochener geistiger Frische nochmals und zum letzten Male seine Faustvorlesung hielt — es war im Rahmen des Collegium generale der Universität Bern —, da mußten wir aus dem ihm zugewiesenen Hörsaal in die Aula übersiedeln, die sich immer noch als zu klein erwies. Selbst tief ergriffen von seinem Thema, vermochte er auch jetzt wieder seine Hörer zu ergreifen, ein Auditorium, das zum großen Teil aus ganz jungen Menschen, Studenten aller Fakultäten bestand. Er wirkte bildend, weil er selber vorbildlich war: eine reiche und tiefe Persönlichkeit. Hohe Bildung und Kultur, Wissen und Weisheit und ein feiner Sinn für alle Kunst waren in ihm vereinigt. Noch einmal strahlten sie auf seine Hörer aus. Wohl war seine Sprache früher blühender, lebens- und glutvoller gewesen. Jetzt war sie strenger, zuchtvoller, konzentrierter; sie war weisheitsträchtiger Altersstil geworden.

Auch diese seine letzte Vorlesung hat Fritz Strich neu geschaffen aus dem immer reicher angewachsenen Material – aber diese Fassung hat er mir diktiert, und ich lege sie aus seinem Nachlaß vor, so wie er sie als seine letzte Vorlesung gehalten hat. Wenn ich auch weiß, daß er noch mehr dazu sagen wollte – vor allem über die Form und über Mephisto –, und obwohl auch zu dieser Faustvorlesung Stöße von Material und Notizen vorliegen, die er für das Buch noch auszuarbeiten gedachte, so fühle ich mich doch nicht befugt, etwas an dem Manuskript zu ändern. Er gab wie immer Wesentliches in konzentrierter Form und in einer Sprache, die schlicht ist und von großer Schönheit.

Das Buch will kein Kommentar zu Goethes «Faust», sondern eine Deutung sein. Es wird in ihm die allgemeinmenschliche Gültigkeit der Faustdichtung aus dem Zusammenstrom der in Urzeiten beginnenden Tradition mit Goethes persönlichem Welterlebnis gedeutet und Fausts von Stufe zu Stufe steigende Entwicklung als der symbolische Weg gezeigt, den Goethe dem Menschen zur Bestimmung machte. So wurde es in dieser Form ein abgeschlossenes Ganzes und zugleich ein Buch der Lebensweisheit und der Altersweisheit von Fritz Strich selbst, sein Abschied und sein Vermächtnis.

Ich lege es in die Hände des Lesers in der Hoffnung, daß er es mit der gleichen verehrungsvollen Liebe zu Goethes großer Dichtung entgegennehmen werde, aus der es entstanden ist.

Bern, den 13. Dezember 1963   *Gertrud Strich-Sattler*

14

GOETHES FAUST

MAN hat viel darüber gespottet, daß jeder deutsche Literar-
historiker ein Buch über Goethes «Faust» zu schreiben sich
verpflichtet fühlt, wodurch eine Faustliteratur von wahrhaft
unermeßlichem und unübersehbarem Umfang entstand. Aber
wenn man auch wirklich zugeben muß, daß sich viele Wieder-
holungen durch diese Literatur hindurchziehen, so kann doch
die Notwendigkeit, sich immer von neuem mit dieser Dichtung
auseinanderzusetzen, nicht geleugnet werden, und das hat
offenbar einen besonderen Grund. Goethes «Faust» besitzt
eine symbolische Tiefe und Weite wie kaum eine andere Dichtung, was jede Zeit dazu verführt, ihr Welt- und Menschenbild, ihren Spiegel gleichsam darin zu sehen. Die Wissenschaft
wird daher stets ihre Aufgabe darin finden müssen, den nur
zeitlich bedingten Deutungen gegenüber die Goethesche Idee
zu bewahren. Die Vieldeutigkeit eines jeden dichterischen
Symbols hat eben doch ihre Grenzen, die durch das Wesen
und den Umkreis eines Dichtergeistes gegeben sind. Es gibt
kaum eine Philosophie, die nicht Goethes «Faust» als Kron-
zeugen für sich aufgerufen hätte. Die Schopenhauersche tat es
wie die Hegelsche, und heute tut es der Existentialismus, der
mit «Faust» sein Menschenbild bestätigen möchte, jenes Menschenbild, das dem Menschen eine Abwertung und Herabwürdigung bereitet, indem es in ihm ein hilflos in das All ge-
worfenes, ein von der Sorge und der Angst in Verzweiflung
getriebenes, ein immer zum Scheitern und zur Niederlage ver-
urteiltes Geschöpf nachzuweisen sucht. Der früheren Auffassung also, daß Goethe in seinem «Faust» den Aufstieg, die
Höherentwicklung, die sittliche Läuterung eines Menschen,
vielmehr des Menschen überhaupt, dargestellt habe, trat die
andere entgegen: daß Goethes «Faust» die Tragödie des

scheiternden, absinkenden Menschen sei, der endlich nur noch einzig durch die Gnade Gottes plötzlich und unvermittelt gerettet werde. So tönte es zuerst in den Faustinterpretationen von Hermann Türck, in denen das Ende Fausts dieses sein soll, daß ein von Natur genialer Mensch, durch Sorge und Angst überwältigt, zum ganz banalen Philister wird. So tönt es in Wilhelm Böhms «Faust der Nichtfaustische», wo Faust am Ende als der gescheiterte Gewaltmensch, der erfolglose Großunternehmer, Spekulant und Ausbeuter dasteht, der da zeigt, wie die Illusionen des 19.Jahrhunderts von Fortschritt oder Entwicklung in Nichts zerflattern, das sogenannte «Streben» Fausts sich als ein zielloses Umherirren und ständige Rückfälligkeit erweist, und seitdem häufen sich solche Deutungen, die im «Faust» das Symbol der menschlichen Ohnmacht erkennen wollen.

Es ist eine lebenswichtige Frage unserer Zeit, ob man das Recht besitzt, Goethe und seinen «Faust» so für die existentielle Abwertung des Menschen in Anspruch zu nehmen. Es ist noch zu verstehen, wenn Goethes eigenen Worten über seinen «Faust» kein unbedingt entscheidendes Gewicht beigelegt wird, Goethes eigenen Worten: daß im zweiten Teil alles auf einer höheren und edleren Stufe gefunden werde, daß Faust in höhere Regionen, durch würdigere Verhältnisse geführt werde, daß sich in ihm eine immer reinere und höhere Tätigkeit bis ans Ende zeige, daß der Teufel die Wette verliere und ein aus schweren Verirrungen immerfort zum Besseren aufstrebender Mensch zu erlösen sei[19]. Aber ganz entscheidend ist, daß die Dichtung selbst diesen Aufstieg, diese Läuterung darstellt, und daß sich das Wort Gottes aus dem «Prolog im Himmel»:

> Wenn er mir jetzt auch nur verworren dient,
> So werd' ich ihn bald in die Klarheit führen

sich wirklich im Drama selbst erfüllt.

Der zweite Grund aber, der zu niemals aussetzender Beschäftigung mit «Faust» führen wird, ist der, daß er vor immer neue, noch unerforschte Tiefen und nicht beantwortete Fragen stellt. «Faust» ist in diesem Sinne schon der gültigste Repräsentant der deutschen Literatur, daß es kaum ein Problem der deutschen Geistigkeit gibt, das nicht in ihm nach Lösung verlangt.

Jede Literatur hat einen solchen Brennpunkt gleichsam, der alle Strahlen des nationalen Geistes in sich sammelt. Die Griechen hatten ihren Homer, die Italiener Dantes «Göttliche Komödie», die Spanier den «Don Quichote» des Cervantes. Die deutsche Literatur hat den «Faust», und er ist wie der Mythos des deutschen Geistes überhaupt. Es ist denn auch kein Wunder, daß «Faust» für alle anderen Völker den Inbegriff der deutschen Geistigkeit bedeutet und daß auf ihm besonders der Weltruhm der deutschen Literatur beruht. Alle Völker haben ihn sich durch immer neue Übersetzungen angeeignet. Der Hauch des faustischen Geistes ist in alle Literaturen gedrungen.

Aber diese Welteroberung «Fausts» war nur dadurch möglich, daß er über eine nur nationale Gültigkeit hinausgewachsen ist. Er ist eben nicht nur der Mythos vom deutschen Geist, sondern, wenn auch gewiß in deutscher Prägung, der Mythos des Menschengeistes überhaupt, seines Suchens, Strebens, Ringens und Kämpfens, seiner Niederlagen und Triumphe, seiner Stürze und Aufschwünge, seines Weges einem höchsten Ziel entgegen, des Menschwerdens und Menschseins.

Aber er ist noch mehr als dies: nämlich der Mythos von Goethe, und das ist in diesem Sinne noch mehr, weil in der Geschichte des Menschen Goethe einen hochaufragenden Gipfel und damit eine besonders repräsentative Bedeutung erreichte, nicht nur darum, weil «Faust» das Lebenswerk war, an dem Goethe von seiner Jugend bis zum Tode sechzig Jahre lang arbeitete, sondern weil dieses Werk wirklich sein ganzes, überreiches Leben in sich aufgenommen hat, weil es sein Weg und Ziel, sein Kampf und Sieg, sein Bekenntnis, seine Selbstdarstellung ist. Jedes seiner Werke ist nach seinem eigenen Wort das Bruchstück einer großen Konfession. «Faust» aber ist kein Bruchstück, sondern die ganze, eine, allumfassende Konfession seines Lebens.

Das macht auch den Unterschied des «Faust» von den symbolischen Gestaltungen anderer Völker aus. Wo ist denn noch dieser Zusammenfall einer mythischen Volksgestalt mit der Persönlichkeit ihres Schöpfers zu finden! Wo ist der Mythos eines Volkes sonst so durchblutet, durchgeistet und durchseelt von Blut und Geist und Seele eines Menschen! Wo sonst ist das Nationalgedicht zugleich das ganz persönliche Bekenntnis, die Geschichte, die Gestaltung des größten Dichters selbst, den das Volk hervorgebracht hat!

Man muß den «Faust» denn auch wissenschaftlich anders behandeln als jedes andere Gedicht. Er verlangt eine eigene Methode. Denn wenn man sonst bei der Darstellung eines Kunstwerks die Einheit der Konzeption, der Idee, der Form herausarbeiten muß, so ist das hier nicht möglich. Widersprüche, Sprünge, Lücken, Nähte überall. Aber es gibt hier eine andere Einheit: die nämlich der organischen Entwicklung Goethes, seiner Wandlung, seines Stufenweges, der sich in der Dichtung spiegelt. So wie ein Mensch von Jugend zur Reife und von Reife zum Alter sich wandelt und doch im völligen Wandel der eine, gleiche Mensch bleibt, so wie eine Blume vom Samen zur Blüte und Frucht sich entwickelt und doch die eine Blume bleibt, so hat die Faustdichtung sechzig Jahre lang die Wandlung ihres Schöpfers mitgemacht, und darin liegt ihre Einheit.

Wie konnte dieser Zusammenfall von allgemeinmenschlicher, nationaler und persönlich Goethescher Bedeutung im

«Faust» entstehen? Die Geschichte der Faustgestalt gibt die Antwort. Denn Jahrtausende und verschiedenste Völker haben an dieser Gestalt gemeißelt, bis sie im deutschen Volksbuch vom Doktor Faust und in der daraus entstehenden Tragödie des englischen Dramatikers Christopher Marlowe ihre germanische Prägung empfing, um endlich von Goethe zur symbolischen Gestaltung seiner eigensten Persönlichkeit gemacht zu werden.

Es sei also zuerst von dem allgemeinmenschlichen Gehalt in der Faustgestalt die Rede.

Der faustische Drang, die Grenzen des Menschentums zu überschreiten, die Geisteskraft über sich selbst hinaus zu erhöhen, Herr und Meister über die Natur zu werden, über Leben und Tod, die Schranken von Raum und Zeit zu überfliegen, Vergangenheit und Zukunft zu beschwören, das Geheimnis der Schöpfung zu ergründen und Gott gleich zu werden, das ist offenbar ein urmenschlicher Drang und ist dem menschlichen Wesen eingeboren. Er zeigt sich im ersten Typus des faustischen Menschen: dem Magier. Zwar darf man nicht in dem bei allen primitiven Völkern auftretenden Magiertypus eine Urform faustischen Menschentums erkennen. Hier steigt die magische Kunst aus anderen Quellen. Im magischen Zeitalter, dessen Glauben es ist, daß die Welt von unberechenbaren Dämonen durchwaltet ist, war die Magie der Versuch, das eigene Ich, die Kraft und Macht der Erkenntnis und der Herrschaft über die Natur so zu steigern, daß der Mensch den dämonischen Mächten begegnen kann: der aus der Not der menschlichen Existenz geborene Versuch, sich eben in dieser dämonisch unberechenbaren Welt behaupten zu können, ein damals ganz legitimer Versuch, und der Magier war ja auch der Priester, der keinen Bund mit bösen Mächten einzugehen brauchte und seine Seele nicht verschreiben mußte, um die magische Kraft zu gewinnen.

Das aber wandelte sich mit dem Christentum, und wenn nun Magier auftreten, so sind es Gestalten, die nicht die Dämonen mit magischer Kunst beherrschen oder vertreiben möchten, um überhaupt die menschliche Existenz zu ermöglichen, sondern sie wollen die menschlich begrenzte Kraft des Lebens und der Erkenntnis zu übermenschlicher, gottgleicher Kraft emporsteigern und bedienen sich dazu des Bundes mit dämonischen Mächten. Dies aber ist in einer nicht mehr von Dämonen, sondern von Gott beherrschten Welt verboten, und es ist die größte Schuld, das Maß, das Gott dem Menschen gesetzt hat, überschreiten zu wollen. Wir stehen hier vor einem menschlichen Urphänomen: dem Menschen ist der Drang zur Steigerung über sich selbst hinaus eingeboren. Aber sein religiöses Gewissen sagt ihm, daß es eine schuldhafte Verfehlung, Abfall von Gott sei. Ja schon der biblische Mythos vom ersten Menschenpaar, Adam und Eva, ist bereits die Gestaltung dieses urphänomenalen Menschentums. Gott hat in das Paradies den Baum des Lebens und den der Erkenntnis gestellt. Aber er verbot dem Menschen, den er doch nach seinem Ebenbilde schuf, davon zu essen. Denn der Mensch soll nicht gleich seinem Schöpfer sein. Was hier das urphänomenale Menschentum genannt wird, sagt also sofort, daß mit dem Menschsein an sich die menschliche Tragödie gegeben ist, die auf dem unumgänglichen Zwiespalt zwischen einem menschlichen Urtrieb und dem göttlichen Gesetz beruht. Als der Mensch entgegen dem göttlichen Verbot vom Baume der Erkenntnis ißt und seine Augen aufgetan werden, hat er die Urschuld der Menschheit auf sich geladen, wird aus dem Paradies vertrieben, der Arbeit und dem Tode unterworfen, und ein Cherub mit dem Schwerte steht nun vor dem Paradies, damit der Mensch wenigstens nicht noch den Weg zum Baum des Lebens finden und die Gottgleichheit doch noch erreichen kann. Gewiß: Magie ist es hier nicht, wodurch der erste Mensch die ihm versagte Erkenntnis gewinnt. Aber die verführende Schlange ist das mythische Symbol aller widergöttlichen Macht, deren Verführung der Mensch in seinem übermensch-lichen Drang erliegt, so wie es die Magiergestalten der christ-lichen Jahrhunderte tun, in denen der Magier nicht mehr Priester ist, sondern nur durch den Pakt mit dem Dämon und den Verlust seines Seelenheils das ihm gesetzte Maß über-schreiten kann. Magie bedeutet also für das Christentum die höllische Kunst.

Man kann in den christlichen Jahrhunderten drei Typen faustischen Menschentums unterscheiden. Der erste wäre Simon Magus, der in der Sage des 2. Jahrhunderts als Wider-sacher des Apostels Petrus auftaucht, vor den Augen des Kaisers Nero sich vermißt, in den Himmel zu fliegen, aber durch Petri Wort herabgestürzt und zerschmettert wird. Von diesem Simon Magus wird auch erzählt, daß er sich mit He-lena (oder der Mondgöttin Selene) vermählte, die ihm einen Sohn gebar, ein Zug, dem man im deutschen Volksbuch vom Doktor Faust und in Goethes «Faust» wieder begegnen wird. Dies also ist der erste Typus: faustisches Heidentum, das un-bekehrt bleibt und in der christlichen Welt zerschmettert wird.

Der zweite Typus: Cyprianus von Antiochia, eine sagen-hafte Gestalt des 4. Jahrhunderts, die später zum Helden von Calderons berühmter Tragödie «Der wundertätige Magus» wurde und deren Verwandtschaft mit dem Faust Goethe selbst erkannte; ein heidnischer Philosoph, dem mensch-liche Weisheit nicht genügt und der durch den Bund mit Dämonen höhere Erkenntnis und zauberische Kraft ge-winnt. Als aber die Liebe zu einer christlichen Jungfrau, Ju-stina, ihn ergreift und er sie mit seiner magischen Kunst nicht zu verführen vermag, bekehrt er sich zum Christentum und erleidet mit Justina zusammen das Martyrium. Das ist der zweite Typus: der heidnische Magier, der sich zum Christentum bekehrt und dessen Seele so gerettet werden kann, die Wandlung des Magus in den Sanctus.

Der dritte Typus: Theophilus, eine legendarische Gestalt des 8., vielleicht auch erst des 10. Jahrhunderts, Held eines niederdeutschen Dramas aus dem 15. Jahrhundert, das häufig als das «Faustdrama» des deutschen Mittelalters bezeichnet wird. Theophilus, ein christlicher Bischof, aber seines hohen Amtes entsetzt, beschwört den Satan und übergibt ihm einen schriftlichen Vertrag, mit dem er sich ihm verschreibt, um dadurch wieder zu weltlichen Ehren zu kommen. Aber Reue und Gebet zu Maria retten ihn. Maria entreißt dem Satan den Vertrag und gibt ihn an Theophilus zurück. – Zu diesem dritten Typus des christlichen, von Christus abfallenden, aber durch Reue und Gnade geretteten Magiers gehört auch die Päpstin Jutta, die oft der weibliche Faust genannt wird, die Heldin eines Dramas aus dem Ende des 15. Jahrhunderts von Dietrich Scherenberg. Jutta, vom Teufel verführt, sich Sinnenlust und weltlichem Ehrgeiz hinzugeben, ergreift in Männertracht die geistliche Laufbahn und wird unerkannt zum Papst gekrönt. Aber von Christus vor die Wahl zwischen irdischer Schande und ewiger Verdammnis gestellt, wählt sie die Schande, gebiert öffentlich ein Kind, erleidet den Tod und wird auf Bitten Marias, zu der sie um Gnade fleht, erlöst.

All diese faustischen Mythen und Legenden des Mittelalters weben sich also aus heidnischen und biblischen Elementen zusammen. Denn heidnisch ist jener urmenschliche Trieb, die dem Menschen gesetzten Grenzen zu sprengen und Gott gleich zu werden, christlich aber und bereits alttestamentarisch das Gericht über solches Menschentum, das als Abfall von Gott, als Urschuld des Menschen verurteilt wird.

Das Heidentum aber taucht in der Renaissance aus dem Strom der Geschichte in neuer Gestalt empor. Denn die Renaissance ist keineswegs mit der humanistischen Wiedergeburt des Altertums erschöpft. Sie ist weit allgemeiner noch die Idee der Wiedergeburt des Menschen. Der Mensch fühlt sich kraft der in ihn gelegten Möglichkeiten zum Maß der Welt, zum Herrn über Leben und Tod, zum Enträtsler des Weltmysteriums in der Wissenschaft, zum Schöpfer einer schöneren Welt in der Kunst bestimmt. Hieraus ergab sich ganz von selbst eine neue Würdigung der Magie, die in der Renaissance geradezu legitim wird. Man kann gewiß nicht sagen, daß sie damit wirklich den Spuren der Antike folgte. Es war doch gerade die welthistorische Tat des antiken Griechenlands, das magisch-dämonische Weltbild zu überwinden und an seine Stelle das Bild einer Welt zu setzen, die nicht von unberechenbaren Dämonen, sondern vom Logos, der Weltvernunft durchwaltet ist und welcher der Mensch nicht mit dunkler Magie, sondern mit dem auch in ihm selber waltenden Logos begegnen kann. Die Antike machte den Menschen wohl zum Maß der Welt; aber sie wollte das menschliche Maß auch nicht überschreiten. Wenn sie einen faustischen Typus, nämlich den des Titanen aufstellte, der es mit den olympischen Göttern aufzunehmen wagt, so wird er ja doch von den Göttern gestürzt. Die Hybris galt den Griechen als die eigentlichste Schuld, die menschliche Urschuld. Faust wird denn auch im deutschen Volksbuch mit den Titanen verglichen: «den Riesen, davon die Poeten dichten, daß sie die Berge zusammentragen und wider Gott kriegen wollten», so wie Faust im Volksbuch auch mit dem bösen Engel verglichen wird, «der sich wider Gott setzte, darum er wegen seiner Hoffahrt und Übermut von Gott verstoßen wurde. Also wer hoch steigen will, der fällt auch hoch herab.»

Aber der titanische Zug bricht doch im Menschentum der Renaissance gewaltig hervor, eben weil sich der Mensch zum Maß der Dinge erklärt, und damit auch das Magiertum. Grade weil sich die Kraft des christlichen Glaubens verlor, herrschten ja doch die Sternenangst, der Schicksalsglaube, und also galt es, alle Mächte, welche die Freiheit, die Selbstbestimmung des Menschen bedrohen, alle Schicksalsmächte, auch die Gewalt des Todes und auch die der menschlichen Begrenzung überhaupt zu bezwingen. Der Mensch der Renaissance gab sich aus diesem tiefsten Grunde der Astrologie hin, damit das Sternenschicksal durch geistige Berechnung gebrochen werde, der Nekromantie, welche ihn zum Herrn über den Tod macht, der Wahrsagerei, damit er Herr über Vergangenheit und Zukunft werde, der Magie, welche ihm höhere Wissenschaft und Macht verleiht als die, welche die Natur ihm zugestehen wollte. Magier, Wundertäter, Totenerwecker und Wahrsager treten in der Renaissance als legitime, nicht mehr als sündhafte Gestalten auf.

Dazu vollzog sich noch eine andere Wandlung des Magiers gegenüber dem Mittelalter. Denn nun glaubt er ohne Hilfe dämonischer Mächte aus eigener Kraft sein Menschentum zum Übermenschentum steigern zu können. Magie wird eine Wissenschaft, die sogar an manchen Universitäten gelehrt wurde. (Faust soll sie nach Melanchthons Bericht in Krakau studiert haben.) Man kann bei Paracelsus etwa die Unterscheidung zwischen dem Sanctus und dem Magus finden. Sanctus ist der, welcher aus Gottes Kraft Wunder zu tun vermag, Magus aber, der es aus eigener Kraft vermag.

Ein Zeichen aber für die innige Verbindung von Magie und Wiedergeburt des Altertums war dieses, daß die Magier oft auch Humanisten waren, Wiedererwecker des klassischen Altertums. Paracelsus, Agrippa von Nettesheim, Trithemius waren Magier und Humanisten zugleich. Reuchlin versenkte sich tief in die Kunst der Magie. Sicherlich war der Magus der Renaissance oft guten und festen Glaubens an die Möglichkeit, übermenschliche Kraft zu gewinnen. Sicherlich wurde auch oft die Zeitbestimmung, die Sehnsucht, dem Menschen unbegrenzte Freiheit und Macht zu verschaffen, von Gauklern und Scharlatanen ausgenützt. Sicherlich vermischten sich auch oft der gute Glauben und die Gaukelei untrennbar miteinander.

Unter diesen Magiern der Renaissance gab es nun einen, der den Namen Georg Faust trug, sich aber Faustus nannte, ob dies nun eine Latinisierung des deutschen Namens Faust oder nach dem lateinischen Worte faustus (der Glückliche) gebildet war. Denn Faust hat wirklich gelebt. Er ist eine historische Figur, für deren Existenz es viele Zeugnisse von Augen- und Ohrenzeugen, die ihm begegneten, gibt. Wo und wann er geboren wurde und starb, ist nicht ganz sicher zu sagen. Sein Leben wird vielleicht etwa von 1480 bis 1538 gedauert haben[20]. Das Volksbuch berichtet, daß er in Rod bei Weimar geboren wurde. Die wichtigsten Zeugen dafür, daß er wirklich gelebt hat und nicht nur eine Gestalt der Sage war, sind zwei bedeutende Humanisten jener Zeit: Johannes Trithemius und Mutianus Rufus. Sie belegen Faust in ihren Briefen nicht grade mit Schmeichelnamen, nennen ihn einen Betrüger und Gaukler, einen Prahler und Schwätzer, einen Abenteurer und albernen Gesellen, der nicht ernst zu nehmen sei. Es wird berichtet, daß er durch Franz von Sickingen als Schulmeister angestellt wurde (wohl weil er Gold zu machen versprach) und wegen sittlicher Verfehlungen an den ihm anvertrauten Knaben schleunigst fliehen mußte. Aus jenen Briefen der Humanisten weiß man auch, daß Faust sich rühmte, Tote erwekken, aus den Sternen, der Hand, der Luft, dem Feuer und dem Wasser weissagen und Gold machen zu können. Ein Arzt stellt ihn als einen schlechten, gauklerischen Wunderdoktor hin.

Aber man hört auch Dinge, die im Hinblick auf Goethes «Faust» weit mehr interessieren: daß er sich nämlich für einen Humanisten ausgab, und zwar einen humanistischen Magier, der imstande sei, alle Schriften des Plato und Aristoteles, wenn sie verloren wären, und zwar besser als sie es waren, wiederherzustellen, auch verlorene Komödien des Plautus und Terenz für einige Stunden zur Abschrift herbeizuschaffen. Er hat wohl auch an den Universitäten von Heidelberg und Erfurt Vorlesungen über Homer gehalten, in denen er vor den Studenten auf magisch-gauklerische Art die homerischen Helden aus der Unterwelt heraufbeschwor: Priamus, Hektor, Ajax, Ulysses, Agamemnon, auch den Polyphem, dem noch das Bein eines Griechen aus dem Maul heraushing, daß es die Studenten grauste. In einer Erfurter Chronik wird erzählt, daß, wenn Faust solche Beschwörungen ankündigte, die Studenten in größeren Massen als sonst erschienen.

Von solchen Sagen und Geschichten war der Weg zu jener Erzählung im Volksbuch nicht mehr weit, daß Faust durch Magie die schönste Frau des Altertums, die Homerische Helena, zur Konkubine gewann und mit ihr einen Sohn, Justus, zeugte, der zusammen mit der Mutter verschwand, gleich nachdem Faust vom Teufel geholt worden war.

Solche Sagen haben sich wohl besonders in Wittenberg gebildet und gingen von Luthers Kreise aus, womit wir vor der Frage stehen, wie sich denn die Reformation zu diesem Magier stellt. Der Teufelsglaube Luthers ist bekannt genug. Als ein Tischgenosse Luthers einmal den Namen Faust erwähnte, erklärte Luther, solch Zauberer werde nichts gegen ihn vermögen, es stecke nichts anderes in ihm als ein hoffärtiger, stolzer und ehrgeiziger Teufel, und auch Melanchthon, der humanistische Helfer des Reformators, nannte Faust eine scheußliche Bestie und Kloake aller Teufel und wies ihm die Tür, als er ihn besuchen wollte. Man kann in Predigten und Gesprächen Melanchthons lesen, daß Faust in Venedig zu fliegen versuchte, was an Simon Magus erinnert, daß er immer einen Hund bei sich hatte, welcher der Teufel war. Er habe sich gerühmt, alle Siege Karls V. in Italien mit seiner magischen

Kunst errungen zu haben, was an den zweiten Teil von Goethes «Faust» gemahnt; er habe auch einmal in Wien einen anderen Zauberer aufgefressen, der dann nach einigen Tagen in einer Höhle wieder zum Vorschein kam. Luther und Melanchthon glaubten an Fausts Teufelsbund, während die Humanisten sonst ihn nur für einen Gaukler und Betrüger hielten. Die Sage berichtet dann bald nach Fausts Tod, daß er vom Teufel geholt worden sei. Denn am Tage vor seinem Ende sei er in großer Angst gesehen und dann, nach einem mitternächtlichen Tumult im Hause, mittags, neben seinem Bett, mit umgedrehtem Hals gefunden worden, was als ein Zeichen dafür galt, daß ihn der Teufel geholt habe. Die Worte Luthers und Melanchthons über Faust zeigen in Verbindung mit solchen Berichten, daß die Reformation die Magie als höllische Kunst verwarf und nur aus einem Teufelspakt erklären konnte, wie es ja schon das Mittelalter tat. Ja, die Reformation verurteilte die faustische Magie noch schärfer, als die römische Kirche es tat. Der reuige Theophilus konnte durch Maria gerettet werden. Faust aber bleibt in der Sage rettungslos verurteilt und verdammt, trotz aller Reue und Klage, trotz allen Versuchen zur Umkehr. Es gibt für ihn keine Gnade und keine Erlösung.

Das ist freilich nur unter der Voraussetzung ein Beweis für die Stellung der Reformation zu Faust, daß der Verfasser des ersten Volksbuches vom Doktor Faust ein Protestant war. Denn ganz sicher ist dies durchaus nicht, wenn es auch meistens behauptet wird. Es wurde aber auch einmal mit guten Gründen der Beweis zu führen versucht, daß ein katholischer Verfasser mit diesem Buch ein warnendes Exempel aufstellen wollte, wohin es führt, wenn ein vermessener Mensch vom Glauben der alleinseligmachenden Kirche abweicht und eigene Wege geht, wie Luther es tat, der ja für die katholische Kirche oft als ein Teufelsbündler galt, und daß der Schauplatz der faustischen Tätigkeit in der Sage und dann im Volksbuch nach

Wittenberg verlegt ist, zeugt eher für als gegen diese Idee. Denn es bedeutete für Wittenberg sicherlich keinen Ruhm, sondern weit eher eine Peinlichkeit, daß Faust dort, wie im Volksbuch erzählt wird, erzogen wurde und an der Universität Magister Artium und Doktor der Theologie wurde. Auch die heftigen Ausfälle Fausts gegen den Papst und die römische Geistlichkeit weisen eher darauf hin, daß ein katholischer Verfasser diesen Teufelsbündler eben als einen Lutheraner bloßstellen und damit vor Luther warnen wollte. Auch der vergebliche Bekehrungsversuch eines Mönchs an Faust, von dem im Volksbuch erzählt wird, weist doch eher in diese Richtung. Es gibt denn auch ein Buch aus dem 16. Jahrhundert, welches Wittenberg, seine Universität und Kirche, gegen solche Verleumdung verteidigt, daß Faust in Wittenberg studiert und gewirkt habe. Es sei erdichtet und erlogen. Eine sichere Entscheidung ist freilich nicht zu treffen, und man muß sich dabei beruhigen, daß jedenfalls die Reformation ebenso wie der Katholizismus den Magier Faust verdammte und seine Kunst zum Teufelswerk erklärte. Es ist eben einfach die Stellung des Christentums zur Magie, und dadurch unterscheidet es sich von der Renaissance. Das heidnische Moment des Magus und das christliche seiner Verdammung: aus beiden webte sich der Mythos von Faust zusammen, der seine Gestaltung im deutschen Volksbuch von Doktor Faust fand.

Sein Titel lautet: «Historia von D. Johann Fausten / dem weitbeschreyten Zauberer und Schwartzkünstler / Wie er sich gegen dem Teuffel auff eine benandte zeit verschrieben / Was er hierzwischen für seltzame Abentheuwer gesehen / selbs angerichtet und getrieben / biß er endtlich seinen wol verdienten Lohn empfangen. Mehrertheils auß seinen eygenen hinderlassenen Schrifften / allen hochtragenden / fürwitzigen unnd Gottlosen Menschen zum schrecklichen Beyspiel / abschewlichen Exempel / unnd trewhertziger Warnung zusammen

gezogen / und in den Druck verfertiget. IACOBI IIII. Seyt Gott
underthänig / widerstehet dem Teuffel / so fleuhet er von euch.
Cum Gratia et Privilegio. Gedruckt zu Franckfurt am Mayn /
durch Johann Spies. M. D. LXXXVII.»

Sagen, die sich um faustische Figuren der Vergangenheit
und Gegenwart gebildet hatten, sind hier auf Faust zusam-
mengetragen, so daß er wirklich der Repräsentant faustischen
Menschentums geworden ist. Was schimmert nicht alles mehr
oder weniger deutlich durch seine Gestalt: die Titanen, Luzifer, Adam, Simon Magus, Cyprianus, Theophilus, Paracelsus und Agrippa von Nettesheim. Freilich: die Großartigkeit
des Motivs, der ewig menschliche Gehalt, der sich in der
Mythen- und Sagenbildung von Jahrtausenden und Völkern
zur Faustgestalt verdichtet hatte, ist hier noch ganz unter ro-
her Stoffanhäufung und aufdringlicher Moralität erstickt,
verschüttet. Für die Größe des faustisch-übermenschlichen
Erkenntnisdranges und seine Tragik fehlt der Sinn. Nur selten
leuchtet etwas davon auf, so etwa wenn es heißt: Faust nahm
Adlersflügel an sich und wollte alle Gründe am Himmel und
auf Erden erforschen; oder wenn in Fausts Verschreibung an
den Teufel steht: er tue es, weil er zum letzten Grund der
Dinge vordringen, die Elemente spekulieren wolle, aber aus
den Gaben, die von oben herab dem Menschen beschert und
gnädig verliehen worden sind, solche Geschicklichkeit in seinem Kopfe nicht gefunden habe. Der Teufel also soll ihm geben, was Gott ihm nicht gab, und dafür nach vierundzwanzig
Jahren Leben und Seele von ihm erhalten. Faust verlangt
auch von Mephisto, daß er ihm auf alle Interrogationen nichts
Unwahrhaftiges respondieren dürfe. Mephisto, der Diener
Satans, gibt ihm nun wirklich Unterricht in der Erkenntnis
göttlicher und höllischer Mysterien und führt ihn dann im
Fluge durch den Weltraum, in überirdische und unterirdische
Regionen, durch Länder und Städte der Welt, an den Hof des

Kaisers und des Papstes, so daß Faust zu Erkenntnis, Macht, Reichtum und im letzten Jahr in den Besitz des schönsten Weibes, Helena aus Graecia, gelangt, um endlich ein furchtbares Ende zu nehmen und trotz aller Reue der ewigen Verdammnis zu verfallen. Wer aber, wie gesagt, einen Sinn für die gewaltige Bedeutung des Motivs in diesem Volksbuch sucht, wird doch enttäuscht sein. Keine Möglichkeit ist ausgeschöpft, und alles versinkt allmählich im rohen Stoff. Fausts magische Erlebnisse und Taten sind albernste Zauberkunststücke, banalste Schwänke eines «säuischen und epikuräischen» Lebens. Helena, die einst bei Goethe das Ziel der faustischen Sehnsucht nach antiker Schönheit werden wird, dient dem Faust des Volksbuchs nur als Lustdirne. Der Adlerflug des faustischen Geistes ist durch die aufdringlich moralisierende, Faust nur verdammende Tendenz gelähmt. Warnung und Exempel ist alles.

Die weitere Geschichte dieses deutschen Volksbuches aber zeigt nur weiteren Niedergang; die Dekadenz des faustischen Geistes wird in ihr offenbar. Die neuen Auflagen, die durch die gewaltige Beliebtheit des Buches bald notwendig wurden, fügen nur neue, mehr oder weniger alberne Zauberschwänke hinzu, wie etwa die in Auerbachs Keller. 1599 erscheint in Hamburg eine neue Bearbeitung von Georg Rudolf Widmann: «Die wahrhaftige Historie von den grewlichen und abschewlichen Sünden und Lastern ...: So D. Johannes Faustus, ein weit berufener Schwartzkünstler und Ertzzäuberer, durch seine Schwartzkunst bis an seinen erschrecklichen änd hat getrieben.» Aber es handelt sich nur um eine Ausfüllung und Verballhornung des ersten Volksbuchs. Widmann erklärt, das bei Spies erschienene Buch sei unvollständig, er habe dagegen das von Fausts Famulus Wagner hinterlassene Original der faustischen Selbstbiographie und handschriftliche Berichte von Männern, die Faust begegneten, in Händen gehabt. Fausts geistiger Adlerflug, sein Erkenntnistitanismus, ist nun ganz verschwunden. Er wird ein banaler Wüstling, der sich des Teufels nur bedient, um seine sinnlichen Gelüste zu befriedigen.

Als dann dies Widmannsche Faustbuch 1674 von einem Nürnberger Arzt, Nikolaus Pfizer, neu bearbeitet wird, zeigt sich ein weiterer Schritt des Niedergangs. Damals feierte der Teufels- und Hexenglaube wahrhafte Orgien, und so stieg die Verdammung Fausts in dieser Zeit des religiösen Fanatismus auf ihren Gipfel. Man gönnte freilich Faust noch wenigstens den Mut und die Verwegenheit, sich dem Teufel zu verschreiben. Aber auch das verliert sich in der Zeit der Aufklärung, als man alle abergläubischen Vorstellungen verscheuchte oder sie doch wenigstens skeptisch und kritisch beurteilte, und so traten aufklärerische Geister auch an Faust heran und versuchten rationale Erklärungen für die höllischen Wunder und Zaubereien, so wie es im Faustbuch «von einem Christlichmeinenden» um 1725 geschah. Es ist die letzte Gestalt, die das Volksbuch nach Spies, Widmann, Pfizer annahm, und Faust ist hier fast nur noch ein Gaukler, Betrüger, Scharlatan, während sich die moralisierende Tendenz und Warnung mehr gegen seinen unsittlichen Lebenswandel als gegen den Teufelspakt richtet. Die Herabwürdigung Fausts konnte nicht weiter gehen.

Dies ist die eine absteigende Entwicklungslinie des Faustmythos, wie sie sich in episch-erzählender Gestaltung vom ersten bis zum letzten Volksbuch vollzog.

Parallel dazu läuft eine andere Linie: die der dramatischen Gestaltung. Denn das erste Volksbuch von 1587 hatte einen Welterfolg, wurde in viele Sprachen übersetzt, auch in die englische, und von Christopher Marlowe, einem Zeitgenossen Shakespeares, in eine Tragödie verwandelt, die 1594 zum erstenmal aufgeführt und 1604 zuerst gedruckt wurde. Damit bestieg nun die Faustgestaltung einen ersten Gipfel, und mit dieser Tragödie vollzog sich zuerst der Germanisierungsprozeß dieser allgemeinmenschlichen Gestalt, an der Zeiten und Völker geschaffen hatten. Denn in dieser englischen Tragödie geschah es zum erstenmal, daß ein Dichter Sinn und Verständnis für die Faustgestalt bewies und das, was im deutschen Volksbuch wohl angedeutet, aber unter den rohen Stoffmassen erstickt worden war, befreite, ans Licht hob, veredelte und vergeistigte: «The tragical history of Doctor Faustus». Schon dies allein, daß Faust hier gewürdigt wurde, zum Helden einer Tragödie zu werden, ist bezeichnend. Denn eine Würdigung liegt darin, wenn eine Gestalt zum tragischen Helden gemacht und tragischen Schicksals gewürdigt wird. Ein sehr germanischer Sinn für faustisches Menschentum ist damit erwacht. Der titanische Vergottungsdrang Fausts, sein Drang nach übermenschlicher Weisheit und Erkenntnis, sein unersättlicher Lebensdurst, seine Ruhmbegier und sein Wille zur Macht, sie sind in Marlowes Tragödie zum erstenmal nicht als verächtlich und verdammenswert, sondern als groß und heroisch hingestellt. Es ist wohl Schuld, Abfall von Gott, aber doch eben tragische Schuld und Zeichen edlen Menschentums, das sich verirrt, versteigt, und doch geistiges Heldentum ist und ihn würdig macht, daß sich der gute und der böse Engel um ihn streiten. Wie anders als im deutschen Volksbuch tönt nun im englischen Drama die Sehnsucht Fausts, die griechische Helena zu umarmen.

Volksbuch: «Damit nun der elende Faustus seines Fleisches Lüsten genugsam Raum gebe, fällt ihm zu Mitternacht, als er erwachte, in seinem 23. verloffenen Jahr die Helena aus Graecia, so er vormals den Studenten am weißen Sonntag erweckt hatt', in Sinn. Derhalben er morgens seinen Geist anmahnt, er sollte ihm die Helenam darstellen, die seine Concubina sein möchte, welches auch geschahe, und diese Helena war ebenmäßiger Gestalt, wie er sie den Studenten erweckt hatt', mit lieblichem und holdseligem Anblicken. Als nun

34

Doct. Faustus solches sahe, hat sie ihm sein Herz dermaßen gefangen, daß er mit ihr anhube zu buhlen und für sein Schlafweib bei sich behielt, die er so lieb gewann, daß er schier kein Augenblick von ihr sein konnte. Ward also in dem letzten Jahr schwangers Leibs von ihme, gebar ihm einen Sohn, dessen sich Faustus heftig freuete und ihn Justum Faustum nennete. Dies Kind erzählt' D. Fausto viel zukünftige Ding, so in allen Ländern sollten geschehen.»

Marlowe:
  Dies Antlitz war's, das tausend Schiffe trieb
  Und Trojas riesenhohe Zinnen stürzte?
  O Süße, mache mich mit einem Kuß unsterblich!
  Die Lippen saugen meine Seele aus, sie fliegt davon.
  Komm, Helena, gib mir die Seele wieder.
  Hier will ich weilen, denn hier ist der Himmel
  Und alles Schlacke, was nicht Helena.
  Ich will dein Paris sein. Aus Lieb' zu dir
  Soll Wittenberg statt Trojas untergehn.
  Ich will den schwachen Menelaus schlagen,
  Will deine Farben in dem Wappen führen,
  Ja, ich verwunde des Achilles Ferse
  Und kehre wieder, Helena zu küssen.
  O, du bist schöner als der nächt'ge Himmel,
  Der strahlt in seiner tausend Sterne Schimmer,
  Bist heller als das Leuchten Jupiters,
  Als er erschien der armen Semele,
  Bist lieblicher als der Monarch des Himmels
  Im Azurarm der losen Arethusa,
  Und keine außer dir soll mir Geliebte sein.

Wie anders klingt das kläglich moralisierende Ende des deutschen Volksbuches als die heroische Klage, die das Ende der Marloweschen Tragödie ist.

35

Volksbuch: «Also endet sich die ganze wahrhaftige Historia und Zauberei Doctor Fausti, daraus jeder Christ zu lernen, sonderlich aber die eines hoffärtigen, stolzen, fürwitzigen Sinnes und Kopfs sind, Gott zu förchten, Zauberei, Beschwörung und andere Teufelswerks zu fliehen, so Gott ernstlich verboten hat, und den Teufel nit zu Gast zu laden, noch ihm Raum zu geben, wie Faustus getan hat. Dann uns hie ein erschrecklich Exempel seiner Verschreibung und Ends fürgebildet ist, desselben müßig zu gehen, und Gott allein zu lieben, und für Augen zu haben, alleine anzubeten, zu dienen und zu lieben, von ganzem Herzen und ganzer Seelen, und von allen Kräften, und dagegen dem Teufel und allem seinem Anhang abzusagen, und mit Christo endlich ewig selig zu werden ...»

Marlowe:

Gebrochen ist der Zweig, der frei gen Himmel strebte,
Verbrannt Apollos stolzer Lorbeerbaum,
Der sproßte hier in dem gelehrten Manne.
Faust ist dahin. Betrachtet seinen Fall,
Sein feindlich Schicksal soll den Klugen warnen,
Allein nach Unerlaubtem zu begehren,
Nach Tiefen, die verwegne Geister locken,
Zu suchen mehr, als Gott der Herr erlaubt.

Das klingt denn doch mehr wie eine Totenklage um einen hohen, wenn auch allzu hoch strebenden Geist, als wie moralische Verdammung.

Aber auch die dramatische Linie, die von Marlowes Tragödie ausgeht, sinkt mehr und mehr herab, und zwar auf deutschem Boden. Englische Komödiantentruppen bringen das englische Drama Marlowes nach Deutschland, wo es zuerst 1708 aufgeführt wurde, großen Erfolg errang und oft in allen Teilen Deutschlands von den Wandertruppen gespielt wurde. Leider ist kein deutscher Text, der solchen Aufführungen zu-

grunde lag, erhalten. Aber man kennt ja den Stil dieser englischen Komödianten, kennt ihre Bearbeitungen Shakespeares
und seiner Zeitgenossen aus der von ihnen selbst herausgege-
benen Sammlung: «Englische Komödien und Tragödien»
(1620) und der zweiten Sammlung: «Liebeskampf» (1630),
und wenn auch leider Marlowes «Faust» darin nicht zu finden
ist, so kann man sich danach doch auch ein Bild von der thea-
tralischen Faustbearbeitung machen. Sie war sicherlich nicht
mehr eine Tragödie im Sinne Marlowes, sondern ein großes
Schau- und Spektakelstück, in dem das Hauptgewicht auf den
Wundern und Zaubereien, den höllischen und himmlischen
Erscheinungen lag und mehr gewiß noch auf der alles über-
wuchernden Komik, nämlich den Spässen des Hanswurst. Die
Form wird, wie die der andern Bearbeitungen, bombastischer
Schwulst oder banale Prosa gewesen sein. So entfernte sich die
Tragödie im Laufe des 17. und 18. Jahrhunderts immer mehr
von Marlowes Gipfelwerk. Aber in dieser entarteten Form
wurde es das wohl beliebteste Volksschauspiel Deutschlands,
und Lessing berichtet im 17. Literaturbrief, daß Deutschland
in seinen Doktor Faust auf der Bühne ganz verliebt gewesen
sei. Auch aus dem 18. Jahrhundert ist kein Text erhalten.
Aber wir können uns nun eine bessere Vorstellung davon
machen. Denn wir besitzen aus dieser Zeit ausführliche Thea-
terzettel, lockende Ankündigungen für das Publikum, von
denen eine der Neuberschen Truppe aus dem Jahr 1738 hier
stehen möge:

«Das ruchlose Leben und erschreckliche Ende des welt-
bekannten Erzzauberers

D. Johann Fausts.

Dabei wird unter andern vorkommen und zu sehen sein:
Ein großer Vorhof an des Pluto unterirdischem Palaste an
den Flüssen Lethe und Acheron. Auf dem Flusse kömmt
Charon in seinem Schiffe gefahren, und zu ihm Pluto auf

37

einem feurigen Drachen, welchem seine ganze unterirdische Hofstatt und Geister folgen.

D. Fausts Studierstube und Bücherkammer. Ein annehmlicher oberirdischer Geist singt unter einer sanften Musik folgende bewegliche Arie:

> Fauste! was ist dein Beginnen?
> Ach, was hast du doch getan?
> Bist du denn nun gar von Sinnen
> Und gedenkest nicht daran,
> Daß anstatt der Freud die Pein
> Und die Qual wird ewig sein?
>
> Ist dir denn die Lust zur Sünde
> Lieber als dein ewigs Wohl?
> Machst du dich zum Höllenkinde,
> Das doch in den Himmel soll?
> Ist dir der Verdammten Lohn
> Lieber als des Himmels Thron?
>
> Kann dich denn gar nichts bewegen?
> Ach so schau den Himmel an,
> Wenn er durch viel Tropfen Regen,
> Dich nicht gnug erweichen kann!
> Mach dadurch dein Herze weich,
> Und erwähl das Himmelreich.

Ein Rabe kömmt aus der Luft und holet die Handschrift des D. Faust. Hanswurst gerät ohngefähr über seines Herrn des D. Fausts Zauberei. Er muß stehen bleiben und kann nicht vom Platze gehen, bis er die Schuhe ausgezogen hat. Die Schuhe tanzen miteinander auf eine lustige Art.

Ein fürwitziger Hofbedienter, welcher dem D. Faust verspottet, bekömmt sichtbarlich Hörner an der Stirne.

Ein Bauer handelt dem D. Faust ein Pferd ab, und sobald er es reitet, verwandelt sich das Pferd in ein Bündgen Heu. Der Bauer will den D. Faust darüber zu Rede stellen, Faust stellt sich als ob er schliefe; der Bauer zupft ihn und reißt ihm ein Bein aus. Hanswurst will gerne viel Geld haben, ihn zu vergnügen, läßt ihn Mephistophiles Gold regnen.

Die schöne Helena singt unter einer angenehmen Musik eine dem D. Faust unangenehme Arie, weil sie ihm damit seinen Untergang ankündiget.

D. Faust nimmt von seinem Famulo Christoph Wagnern Abschied. Hanswurst macht sich auch davon, und die Geister holen den D. Faust unter einem künstlich-spielenden Feuerwerke hinweg.

Der unterirdische Palast des Pluto zeigt sich nochmals. Die Furien haben den D. Faust, und halten um ihn herum ein Ballet, weil sie ihn glücklich in ihr Reich gebracht haben.

Das Übrige wird angenehmer zu sehen, als hier zu lesen sein.»

Man kann aus dieser Ankündigung ersehen, worauf es ankam: auf Zaubereien, Schaugepränge, Gesang, Musik, Ballett und Späße des Hanswurst, und man kann auch verstehen, daß trotz der antiken Motive, mit denen das Spiel durchsetzt ist, der Repräsentant der deutschen Aufklärung und des Klassizismus, Gottsched, der dem deutschen Theater einen hohen Kunststil geben wollte, empört darüber war, daß der Pöbel sich noch mit solchen Teufelsmärchen abgebe und derartige Stücke sich noch auf dem Theater der Landstreicher fänden, während doch Hexen- und Teufelsglaube durch das Licht der Aufklärung verscheucht worden war. Das Märchen vom Dr. Faust, so heißt es in Gottscheds «Kritischer Dichtkunst» 1730, habe nun lange genug den Pöbel beschäftigt. «Solche Alfanzereien auf der Schaubühne, solche Zaubereien schicken sich für unsere aufgeklärte Zeit nicht mehr und dürfen nicht länger geduldet werden.» Die Empörung Gottscheds aber richtete sich auch gegen die Form, die allen Regeln des Klassizismus, den Einheiten von Ort und Zeit und Handlung, der sauberen Scheidung von Tragik und Komik, dem Anstand und mit ihrer Prosa dem klassischen Alexandrinerstil ins Gesicht schlug, allen Regeln des Corneille und Racine, die jetzt zu Vorbildern des deutschen Theaters wurden. Wirklich gelang es Gottsched, den Doktor Faust von der Schaubühne zu vertreiben.

Wohin aber zog sich der nicht umzubringende, der unsterbliche Faust zurück? Wo fand er seine Zuflucht? Auf dem Puppentheater, wo ihn der Arm des literarischen Diktators nicht erreichen konnte. Das Puppenspiel vom Doktor Faust ist die letzte Wandlung, welche die Tragödie Marlowes durchzumachen hatte, die letzte Gestalt, in der sie noch weiterlebte. Man kennt zwar kein Original des Puppenspiels, wie es damals, als der junge Goethe es sah, gespielt wurde. Es lebte nur in mündlicher und handschriftlicher Tradition der wandernden Puppenspieler. Die Form, in der man das Puppenspiel seit dem 19. Jahrhundert kennt, beruht auf einer Rekonstruktion, die Karl Simrock 1846 nach mündlichen Berichten und einigen Aufzeichnungen von gelehrten Männern, welche Aufführungen beizuwohnen Gelegenheit hatten, hergestellt hat. Die Versform ist ganz von Simrock. Eine wissenschaftliche Betrachtung des Puppenspiels ist demnach nicht möglich. Aber es ist doch zu erkennen, daß es, bei allem Charme und Zauber, der ihm zugestanden werden muß, an Marlowes Tragödie gemessen, denn doch einen gewaltigen Abstieg bedeutet. Es war ja auch ganz unmöglich, daß der faustische Geistesflug sich auf dem Puppentheater entfalten konnte. So steht man also vor dem Phänomen, daß sowohl die epische wie die dramatische Faustgestaltung eine absinkende Entwicklung nahm.

Aber die Zeiten wandeln sich und mit ihnen die Mythen und Gestalten der Dichtung, und nun beginnt die Zeit, die dem faustischen Geist unendlich günstiger war und in der daher die Linie der Entwicklung steil und stolz nach oben geht, um endlich in Goethes «Faust» zu gipfeln.

Denn jetzt ergreift ein deutscher Dichter-Denker, Gotthold Ephraim Lessing, den durch so viele Metamorphosen hindurchgegangenen Gegenstand, dramatisiert ihn, veredelt und vergeistigt ihn, und Faust wird unter seinen Händen zum Träger einer Idee, ja man kann sagen, zum Träger der Idee des Menschengeistes. Das Faustdrama Lessings ist freilich verlorengegangen. Zudem ist es fraglich, ob es überhaupt jemals ganz ausgeführt wurde. Aber man kann aus Berichten einiger Freunde Lessings (Blankenburgs und Engels) wenigstens den Plan und die Idee ersehen. Es war kein zufälliger Griff nach einem dankbaren Objekt. Lessing selbst war in gewissem Sinne, nämlich in seinem unersättlichen Wahrheits- und Wissensdrang, ein faustischer Geist. In ihm wurde die deutsche Aufklärung, über sich selbst hinauswachsend, faustisch. Wenn man den französischen Aufklärer Voltaire neben Lessing stellt, wird man den faustischen Geist der deutschen Aufklärung, wie er in Lessing Gestalt gewann, erkennen. Voltaire fühlte sich gleichsam im Besitz der Wahrheit; Lessing war der Sucher nach ihr. Voltaire, im Lichte der Wahrheit stehend, leuchtete von seinem sicheren und hellen Gipfel hinunter in die Finsternis, um sie aufzuklären. Das ist nicht faustisch. Lessing aber strebte aus dem Dunkel zum Licht der Wahrheit empor. Es gibt ein Wort Lessings (in der Abhandlung «Eine Duplik»), das so heißt: «Nicht die Wahrheit, in deren Besitz irgendein Mensch ist, oder zu sein vermeinet, sondern die aufrichtige Mühe, die er angewandt hat, hinter die Wahrheit zu kommen, macht den Wert des Menschen. Denn nicht durch den Besitz, sondern durch die Nachforschung der Wahrheit erweitern sich seine Kräfte, worin allein seine immer wachsende Vollkommenheit besteht. Der Besitz macht ruhig, träge, stolz. – Wenn Gott in seiner Rechten alle Wahrheit und in seiner Linken den einzigen immer regen Trieb nach Wahrheit, obschon mit dem Zusatze, mich immer und ewig zu irren, verschlossen hielte, und spräche zu mir: wähle! Ich fiele ihm mit Demut in seine Linke, und sagte: Vater gib! die reine Wahrheit ist ja doch nur für dich allein!» Das sprach ein Mensch, dem also der Weg mehr als das Ziel, das Suchen und Streben mehr als das Resultat bedeutete, für den der Aufstieg in unbekannte geistige Regionen lockendstes Abenteuer und innerlichster Seelendrang war. Ein nie zu stillender Erkenntnisdurst war in ihm, und grade darin, daß er nie zu stillen ist und doch nicht auf ihn verzichtet werden kann, fand Lessing den göttlichen Funken in sich und im Menschen überhaupt. Nur ein faustischer Geist konnte dieses Wort sprechen, daß er lieber das Streben nach der Wahrheit als die Wahrheit selbst besitzen wolle. Daher ist es kein Zufall, daß grade Lessing es war, der im 17. Literaturbrief 1759 das Volksschauspiel vom Doktor Faust, das so vielen Anfeindungen von Seiten des Klassizismus und der Aufklärung ausgesetzt, verachtet und fast vergessen war, verteidigte und zum Beweis dafür, daß die deutsche Dramatik weit mehr dem englischen als dem französischen Geschmack zuneige, eine Szene aus dem Volksschauspiel veröffentlichte, von dem er wahrscheinlich gar nicht wußte, daß es aus Marlowes «Faust» entstanden war, in dem er aber mit sicherem Instinkt «Shakespearisches Genie» erkannte. Kein Zufall auch, daß Lessing selbst, wohl in den fünfziger Jahren, Pläne zu einem eigenen Faustdrama faßte und sie vielleicht sogar ausgeführt hat. Man kennt diese Pläne durch ein Szenarium und durch Blankenburgs Schreiben über Lessings verlorengegangenen «Faust» sowie durch das, was Engel davon in Lessings «Theatralischem Nachlaß» mitteilte. Diese Berichte weichen wohl etwas voneinander ab. Aber man kann sich doch ein ungefähres Bild von dem geplanten Drama machen. Faust, ein edler, ganz dem Trieb nach Wahrheit hingegebener Jüngling, ganz nur für sie atmend und empfindend, allen Leidenschaften entsagend, außer der einzigen für die Wahrheit. Die höllische Macht der Finsternis aber macht den Versuch, der Gottheit ihren Liebling zu entreißen. Denn wenn Faust zum Lehrer des Volkes, und die Wahrheit siegen würde, dann wäre es um die Macht der Finsternis getan. Grade durch seinen Wahrheitsdrang, bei dem allein er zu packen ist, soll er abspenstig gemacht werden, indem ihm der Teufel unendliche Erkenntnis verspricht. Aber Faust wird von himmlischen Mächten vor der Versuchung gerettet. Sie versenken ihn in Schlaf, und er träumt nur, daß er sich dem Teufel verschreibe. Der Teufel aber hat es nur mit dem Phantom von Faust, nicht mit ihm selbst zu tun. Als die höllischen Heerscharen ihre Arbeit vollbracht zu haben scheinen und schon Triumphlieder anstimmen, ruft ein Engel ihnen zu: Triumphiert nicht, ihr habt nicht über Menschheit und Wissenschaft gesiegt. Die Gottheit hat dem Menschen nicht den edelsten der Triebe gegeben, um ihn ewig unglücklich zu machen. Was ihr sahet und jetzt zu besitzen glaubt, war nichts als ein Phantom. Ihr sollt nicht siegen. Faust aber erwacht und dankt der Vorsehung für die Warnung, die sie ihm durch einen so lehrreichen Traum geben wollte.

Man steht hier also zum erstenmal vor der großartigen und kühnen Wandlung aller Fausttradition: Faust wird nicht verdammt und gerichtet, sondern gerechtfertigt und gerettet, weil der Wahrheitsdrang das göttliche Teil im Menschen ist und ihn darum nicht in ewige Verdammnis führen kann. Diese Wandlung der Fausttradition ist als ein Symbol für die Wandlung des Menschengeistes überhaupt zu betrachten, die sich durch die Aufklärung vollzog. Denn Lessings «Faust» ist echtestes und schönstes Aufklärungsprodukt: die Rechtfertigung des Lichtsuchers Mensch. Er ist freilich noch nicht das allumfassende Symbol des faustischen Menschentums überhaupt, das keineswegs mit dem Menschenbilde der deutschen Aufklärung identisch ist. Der Drang nach Erkenntnis allein macht noch nicht den faustischen Menschen aus. Wieviel reicher an menschlichen Trieben und Sehnsüchten, an Lebensdrang und Tatendrang, wieviel dramatischer in seinem inneren Zweiseelenkampf wird Goethes Faust dann sein. Aber Lessings Idee der Rettung Fausts ist ein Band, das ihn mit Goethes Dichtung verbindet, wenn auch eine direkte Beziehung Goethes zu Lessings «Faust» nicht anzunehmen ist. Die Goethesche Idee der Rettung Fausts war eigene, aus innerster Notwendigkeit seines Menschtums steigende Tat.

Wenn also Lessings «Faust» als Mythos der Aufklärung gelten kann, so bemächtigte sich darauf auch der Sturm und Drang dieser unerschöpflichen Faustgestalt, um ebenfalls in ihr seinen Mythos zu finden. Es kann kein Zufall sein, daß in den siebziger Jahren des 18. Jahrhunderts so viele Faustdichtungen völlig unabhängig voneinander entstanden: Goethes «Urfaust», Maler Müllers «Situation aus Fausts Leben» (1776) und «Fausts Leben dramatisiert» (1778), H. L. Wagners «Die Kindermörderin» (1776), Lenz' «Die Höllenrichter» (1777). Denn Faust war wie kaum eine andere Gestalt dazu prädestiniert, das stürmende und drängende Genie zu verkörpern, das nicht mehr nach Weisheit und Erkenntnis dürstet, sondern die unendlichen Quellen des Lebens ausschöpfen möchte, und nicht mehr Grenze und Maß der menschlichen Kraft ertragen kann, sondern über sie hinaus nach höheren, übermenschlichen Möglichkeiten verlangt. Kein Zufall auch, daß es grade eine Gestalt der deutschen Renaissance war, die nun zum Mythos dieser neuen Zeit werden konnte. Denn bei aller tiefgehenden Verschiedenheit zwischen der Renaissancezeit und dem Sturm und Drang besteht doch eine Verwandtschaft, die es erklärlich macht, daß sich die eine Zeit zur andern neigt. Es ist der Erneuerungs- oder Wiedergeburtstrieb des Menschen.

44

Im 10. Buch von «Dichtung und Wahrheit» erzählt Goethe, wie die bedeutende Puppenspielfabel des Faust in seiner Straßburger Zeit gar vieltönig in ihm wiederklang und summte. Auch er hatte sich in allem Wissen umhergetrieben und war früh genug auf die Eitelkeit desselben hingewiesen worden. Er hatte es auch im Leben auf allerlei Weise versucht und war immer unbefriedigter und gequälter zurückgekommen. Nun trug er diese Dinge so wie manche andere mit sich herum und ergötzte sich daran, in einsamen Stunden, ohne jedoch etwas davon aufzuschreiben.

Dies ist das bedeutendste Selbstzeugnis Goethes dafür, daß er seinen «Faust» als ein «Gelegenheitsgedicht», eine Erlebnisdichtung anerkannte, die durch die Wirklichkeit angeregt wurde und darin Grund und Boden hatte. Von Gedichten, aus der Luft gegriffen, hielt er nichts. Was er nicht erlebt hatte und was ihm nicht auf die Nägel brannte und zu schaffen machte, dichtete er auch nicht und sprach es nicht aus. Diese persönliche Erfahrung aber, die er mit Wissenschaft und Leben machte, reinigte sich in seiner Dichtung zu so objektiver, allgemeinmenschlicher Gültigkeit, daß er in seiner Besprechung einer französischen Faustübersetzung von Stapfer den Beifall, den sein «Faust» nah und fern gefunden, wohl aus der seltenen Eigenschaft erklärte, daß Faust für immer die Entwicklungsperiode eines Menschengeistes festhalte, der von allem, was die Menschheit gepeinigt, auch gequält, von allem, was sie beunruhigt, auch ergriffen, in dem, was sie verabscheut, gleichfalls befangen und durch das, was sie wünscht, auch beseligt worden. «Sehr entfernt sind solche Zustände gegenwärtig von dem Dichter, auch die Welt hat gewissermaßen ganz andere Kämpfe zu bestehen, indessen bleibt doch meistens der Menschenzustand in Freud und Leid sich gleich, und der Letztgeborne wird immer noch Ursache haben, sich nach demjenigen umzusehen, was vor ihm genossen und gelitten worden, um sich einigermaßen in das zu schicken, was auch ihm bereitet wird[21].»

Die Eigenschaft des Goetheschen Faust, in der die persönliche Erfahrung mit der allgemeinmenschlichen zusammenfällt, ist die Unzufriedenheit mit allem, was ist und lebt. Das Schicksal hat ihm einen Geist gegeben, der ungebändigt immer vorwärts dringt und dessen übereiltes Streben der Erde Freuden überspringt. Ihn sättigt keine Lust, ihm genügt kein Glück, so buhlt er fort nach wechselnden Gestalten. Vom Himmel fordert er die schönsten Sterne und von der Erde jede höchste Lust. Die begrenzte Kraft seiner Individualität ist ihm unerträglich. Er will alle Schätze des Menschengeistes herbeiraffen, alles Wohl und Weh der Menschheit auf seinen Busen häufen, um so der Menschheit Krone zu erringen. Ihn treibt die Gärung in die Ferne. Kein Augenblick kann ihn fesseln. Jede Grenze bedeutet ihm Gefängnis, jeder Teil Vereinzelung. Überall stößt er an die engen Schranken der menschlichen Existenz und will seine Kräfte übermenschlich steigern, allerkennen, allgenießen, allschaffen. Zwei Seelen wohnen in seiner Brust. Die eine hält mit derber Liebeslust sich an die Welt mit klammernden Organen, die andere hebt gewaltsam sich vom Dust zu den Gefilden hoher Ahnen. So ist er nirgends zu Hause, ein ewiger Flüchtling, und grade das, was den Menschen zum Menschen macht, die größte und schönste Begabung der menschlichen Natur: das «*Streben*», wird ihm zum Fluch. Das ist Faust, das ist der faustische Mensch, der immer über sich selbst hinaus verlangen muß und doch immer nach Erfüllung im seligen Augenblick dürstet.

Wann ist sich Goethe seiner faustischen Natur bewußt geworden? Welche Gelegenheit war es, die an der Wiege seiner Faustdichtung stand? Es war das Gretchenerlebnis: die Liebe zu Friederike Brion, der Pfarrerstochter von Sesenheim, die in der Straßburger Zeit seine Liebe weckte, ohne daß er fähig

46

gewesen wäre, sich ganz diesem schönen Augenblick hinzugeben und ihn zu verewigen. Man darf nicht sagen, daß
Friederike das Modell zum Gretchen im «Faust» gewesen
wäre. Die Literaturwissenschaft ist längst davon abgekom-
men, nach den Urbildern dichterischer Gestalten zu fragen
und zu forschen. Wesentlich ist die schaffende Kraft eines
Dichters, die wohl von außen her angeregt werden kann, aber
nicht nach einem Modell zu schaffen genötigt ist. Das Erlebnis mit Friederike offenbarte dem jungen Goethe, daß er
den schönen Augenblick, der ihn beseligte, nicht festhalten
konnte. Sein Dämon, seine innere Stimme erlaubte es ihm
nicht. Er mußte Friederike opfern, um seinen genialen Selbst-
verwirklichungstrieb erfüllen zu können. Was ihn an Friederike, was Faust an Gretchen fesselt, ist der Gegensatz ihrer
Naturen und ihres Lebens. Das Unendlichkeitsverlangen des
Faustischen Geistes, dem doch auch die Sehnsucht innewohnt,
sich aus der Qual seiner ewigen Unrast zu befreien und sich
im schönen Augenblick zu erfüllen, wird von Gretchens in
sich selber seliger Gestalt gebannt. Gleich als Faust den Duft
ihres Zimmers atmet, überkommt ihn das Gefühl der Stille,
der Ordnung, der Zufriedenheit, die ihr Wesen ausströmt.
Die kleine Stadt, in der sie lebt, ihr Haus, ihr Zimmer ist wirklich ihre Heimat, ihre Welt. «In dieser Armut welche Fülle!
In diesem Kerker welche Seligkeit!»

Daß im Gretchenerlebnis die Quelle zu Goethes ganzer
Fausttragödie zu finden ist, darauf weist mancher Umstand
hin. Als man den «Urfaust», diese erste Fassung des «Faust»,
die Goethe aus Frankfurt nach Weimar mitbrachte, durch
Erich Schmidts glücklichen Fund in der Abschrift des Weimarer Hoffräuleins von Göchhausen 1887 kennenlernte, da
zeigte es sich, daß diese erste Fassung, der «Urfaust», wohl
noch gewaltige Lücken aufwies, die Gretchentragödie aber
ganz und fertig war. *Sie* hatte Goethe durchlebt und durch-

litten und hatte sie darum dichten können. Sie war nicht als soziale Tragödie konzipiert, welche die Schuld an Gretchens Untergang auf die Verhältnisse der bürgerlichen Gesellschaft schob, wie sonst der «Sturm und Drang» die Tragik der Kindsmörderin auffaßte, sondern Goethe hat hier ein persönliches Schuldbekenntnis abgelegt, und es ist, als ob diese ganze Dichtung ein Selbstgericht Goethes sei und er im Gedicht an Gretchen wieder gutmachen wollte, was er im Leben an Friederike verschuldet hatte. Er führt in seiner Dichtung ihren Schicksalsweg bis zu ihren letzten furchtbarsten Konsequenzen, läßt sie schuldig werden am Tode ihrer Mutter, ihres Bruders, ihres Kindes, am Verlust ihrer Ehre. Aber zugleich ist seine Dichtung die höchste Verklärung, die je eine sündige Gestalt im Gedicht erfahren hat. Goethe hat eine wahrhaft magische Kraft zu Gretchens Verklärung aufgeboten, ohne daß er auch nur einen Augenblick die Wahrheit der Natur und des Lebens verletzt hätte. Er gibt dieser keusch verhaltenen Seele die Sprache, in der alle Töne der Liebe, des Glücks, des Schmerzes, des Jubels und der Verzweiflung, von lyrischer Innigkeit bis zu tragischer Dissonanz auftönen, in ihren Liedern und Gebeten: «Der König in Thule»; «Meine Ruh' ist hin»; «Ach neige, du Schmerzenreiche, dein Antlitz gnädig meiner Not!» Goethe weckt sie aus ihrem blumenhaften Dasein zum Bewußtsein dessen, was sie getan hat, und sie verliert doch ihre Reinheit nicht, denn alles, was sie dazu trieb, «Gott! war so gut! ach war so lieb!» Ihr Schicksal findet seinen Sinn und sein Recht in dem, was sie für Faust, seine Rettung, seine Erlösung bedeutet. Denn Rettung und Erlösung Fausts ist doch endlich ihr Werk. Im ersten Teil des «Faust» antwortet auf die Worte Mephistos: «Sie ist gerichtet!» eine «Stimme von oben»: «Ist gerettet!» Am Ende des zweiten Teiles aber, bei Fausts Himmelfahrt, erscheint Gretchen wieder als Una Poenitentium, die eine Büßerin, sonst

48

Gretchen genannt. Ihr Gebet an Maria, das im ersten Teil hieß: «Ach neige, / Du Schmerzenreiche, / Dein Antlitz gnädig meiner Not!» wandelt sich nun am Ende des zweiten Teils: «Neige, neige, / Du Ohnegleiche, / Du Strahlenreiche, / Dein Antlitz gnädig meinem Glück! / Der früh Geliebte, / Nicht mehr Getrübte, / Er kommt zurück.» Sie wird von Maria angewiesen, sich zu höheren Sphären zu heben: «Wenn er dich ahnet, folgt er nach.» Wenn der erste Teil der Fausttragödie mit Fausts vergeblichem Versuch, Gretchen aus dem Kerker zu retten, endete, weil Gretchen sich nicht retten ließ, sondern sich dem höheren Gericht des Himmels überantwortete, so ist der zweite Teil wie ein einziger langer und schwerer Weg Fausts zurück zu Gretchen, die das Beste seines Innern mit sich fortzieht «als jugenderstes, längstentbehrtes höchstes Gut»[22]. Helenas schöne Gestalt verschwindet. Gretchen aber ist im letzten Vers der ganzen Faustdichtung das Symbol des Ewig-Weiblichen, das uns hinanzieht.

Der «Urfaust», also die erste, wohl in Frankfurt 1774 niedergeschriebene Fassung des «Faust», die Goethe nach Weimar mitbrachte, besteht aus folgenden Szenen: Fausts erster Monolog; Beschwörung und Erscheinung des Erdgeistes; Faust und sein Famulus Wagner; «Mephistopheles im Schlafrock, eine große Perücke auf» – mit dem Studenten; «Auerbachs Keller»; die Gretchentragödie. Es waren also Teile ohne einen ideellen inneren Zusammenhang. Noch fehlte besonders die Beschwörung Mephistos und seine Wette mit Faust, die dann in der Zeit der Freundschaft mit Schiller den ideellen Rahmen bringen wird. Den «Urfaust» nahm Goethe 1786 nach Italien mit, um dort an ihm weiterzuarbeiten und ihn womöglich zu vollenden. In Italien, in Rom, im Garten der Villa Borghese dichtete er zwei neue Szenen: die «Hexenküche» und die Szene «Wald und Höhle». Als er nach seiner Rückkehr in die Heimat die erste *gedruckte* Fassung des «Faust» herausgab: «Faust. Ein Fragment», erschienen darin diese neuen italienischen Teile zum erstenmal.

Diese erste gedruckte Fassung des «Faust» also ist in Italien wesentlich entstanden und ist demnach ein Denkmal der zweiten Periode der Goetheschen Faustdichtung und ein Denkmal der bedeutsamen Wandlung, die Goethe in Italien durchmachte, der Wandlung, die auch im «Faust», in dem, wodurch sich das Fragment vom «Urfaust» unterscheidet, ihre deutliche Spur hinterließ.

Wir stehen damit vor einem Phänomen von kaum auszuschöpfender Bedeutung: Faust, ein nordischer Gegenstand, ein nordisches Motiv in südlicher Wandlung und Gestaltung, *das* nordische Motiv, könnte man sagen, in jener südlichen Wandlung und Gestaltung, welche die Geschichte der Goetheschen Faustdichtung ganz entscheidend bestimmte, und mehr als das, sie zu einem Symbol der deutschen Geistesgeschichte überhaupt machte und dieser ein tragisches Gepräge gibt. Denn die deutsche Geistesgeschichte ist eine Tragödie, weil sie auf dem innerlichen Konflikt zwischen dem natürlichen Trieb beruht, sich seine nordische Natur zu bewahren und sie in Kultur und Kunst zu gestalten, und andererseits der geistigen Sehnsucht nach dem Süden, nach der südlich klassischen Schönheit der antiken Kultur und Kunst. Diese deutsche Südsehnsucht, dieser Trieb nach der Vermählung Fausts mit Helena, wird immer wieder und grade auf Gipfeln der deutschen Kultur so stark, daß es zu jenem eigentlich tragischen Konflikt mit der eigenen deutschen Natur, zur Abwendung von ihr, bis zur Entfernung und Entfremdung von ihr führt, und das ist darum so verständlich, weil diese Sehnsucht nach dem Süden aus der faustischen Geistigkeit geradezu notwendig folgt. Denn es gibt eben nicht nur eine deutsche Natur, sondern auch einen deutschen Geist, dessen faustisches Wesen der Wille ist, sich nicht bei dem, was die Natur ihm gab, zu beruhigen, sondern über die eigene Natur hinaus einem Ideal entgegenzustreben. Es ist ein *fordernder* Geist, der als ideale Forderung aufstellt, was ihm von Gnaden der Natur nicht zugefallen ist. Er besitzt die natürliche Begabung zur Schönheit nicht, wie sie die Antike und ihre Erben besitzen. Das ist ja schon der große Unterschied zwischen der deutschen und der italienischen Renaissance. Wenn die italienische Renaissance eine Wiedergeburt der Antike war, so geschah diese Wiedergeburt aus dem immer noch antiken Blut des italienischen Menschen, aus der immer noch gleichen Natur, aus der einst die antike Kultur erwachsen war, und aus dem immer noch lebendigen Anblick der antiken Kunst in Italien. So war es eine nationale Wiedergeburt. Die deutsche Renaissance konnte so nicht entstehen. Sie entstand als eine sittliche Forderung. Die Wiedergeburt der Antike war hier gewiß auch eine nationale Tat, weil es zum Wesen des deutschen, faustischen Geistes gehört, so über sich hinauszustreben. Aber es war keine *Wiedergeburt* der eigenen, nationalen Natur, sondern eine *geistige Geburt*, die aus der Sehnsucht nach Helena geschah.

Diese Sehnsucht sprach sich gewiß schon im deutschen Volksbuch vom Doktor Faust, in Marlowes Tragödie und im deutschen Puppenspiel vom Doktor Faust aus. Aber hier war sie überall ein stoffliches Motiv geblieben, und die symbolische Bedeutsamkeit war noch nicht herausgestaltet, die klassische Formschönheit noch nicht verwirklicht. Auch der «Urfaust» Goethes enthält noch keine Helena. Aber Goethe hat selbst in Gesprächen und Briefen immer wieder erklärt, daß Helena wohl nicht der ersten Niederschrift des «Faust», aber doch schon seiner ersten Konzeption, seiner ersten Planung und Idee angehörte. Goethe hatte mit seinem «Faust» den nordischsten Gegenstand ergriffen und damit auch sofort die faustische Sehnsucht nach Helena, die ihn selbst nun nach

Italien trieb und ihn seiner faustischen Welt entfremdete. Denn seit seiner südlichen Wandlung war die Antike ihm zum Ideal und zum Maßstab auch für den nordischen Faust geworden, so daß er nur mit Hemmungen, inneren Widerständen und Unterbrechungen großen Ausmaßes an diesem Teufels- und «Hexenprodukt» schaffen konnte.

Im Garten der Villa Borghese also, inmitten italienischer Landschaft, im Anblick antiker Kunst und ganz erfüllt von klassischer Idealität gestaltete er zwei Szenen des «Faust»: die «Hexenküche» und «Wald und Höhle».

Die «Hexenküche», in der Faust durch den Trank der Hexe verjüngt wird, ist vielleicht die nordischste und abstruseste Szene der ganzen Fausttragödie. Wo ist hier die südliche Wandlung Goethes zu erkennen? Aber sieht man sie genauer an, verschwindet die Seltsamkeit des Phänomens, daß grade sie in Italien entstand und ein Denkmal von Goethes Faustentfremdung bedeutet. Denn Goethe hat grade in dieser Szene seine neue Stellung zum «Faust», man muß sagen seinen Abscheu vor dieser abstrusen Welt, diesem Teufelsspuk und Hexenwesen gestaltet. Er wollte damals in Italien des nebelhaften Nordens vergessen; und wie beginnt nun diese Szene «Hexenküche»? «Auf einem niedrigen Herde steht ein großer Kessel über dem Feuer. In dem Dampfe, der davon in die Höhe steigt, zeigen sich verschiedene Gestalten. Eine Meerkatze sitzt bey dem Kessel und schäumt ihn, und sorgt, daß er nicht überläuft. Der Meerkater mit den Jungen sitzt darneben und wärmt sich. Wände und Decke sind mit dem seltsamsten Hexenhausrath ausgeschmückt.»

Faust:
    Mir widersteht das tolle Zauberwesen!
    Versprichst du mir, ich soll genesen,
    In diesem Wust von Raserey?

Verlang' ich Rath von einem alten Weibe?
Und schafft die Sudelköcherey
Wohl dreyßig Jahre mir vom Leibe?
Weh mir, wenn du nichts bessers weißt!
Schon ist die Hoffnung mir verschwunden.
Hat die Natur und hat ein edler Geist
Nicht irgend einen Balsam ausgefunden?

Als Mephisto ihn fragt:

Wie findest du die zarten Thiere?

antwortet Faust:

So abgeschmackt, als ich nur etwas sah!

Da Faust von Mephisto genötigt wird, in den Zauberkreis
zu treten, in dem die Hexe ihm den Verjüngungstrank geben
kann, fährt Faust angewidert auf:

Nein! sage mir, was soll das werden?
Das tolle Zeug, die rasenden Geberden,
Der abgeschmackteste Betrug,
Sind mir bekannt, verhaßt genug.

Als die Hexe mit großer Emphase das abstruse Hexeneinmal-
eins deklamiert:

Du mußt verstehn!
Aus Eins mach' Zehn,
Und Zwey laß gehn,
Und Drey mach' gleich,
So bist du reich.
Verlier' die Vier,
Aus Fünf und Sechs,
So sagt die Hex',
Mach' Sieben und Acht,
So ist's vollbracht:

Und Neun ist Eins,
Und Zehn ist keins.
Das ist das Hexen-Einmal-Eins!

da antwortet Faust:

Mich dünkt, die Alte spricht im Fieber.

Mit solchen Worten der Verachtung und des Spottes hat
Goethe seinen Abscheu vor dieser widerlichen Hexenwelt ausgesprochen, und nur einmal zeigt Faust sich in dieser Szene
entzückt und hingerissen, als er nämlich im Zauberspiegel
der Hexe Helenas Bild erblickt:

Was seh' ich? Welch ein himmlisch Bild
Zeigt sich in diesem Zauberspiegel!
O Liebe, leihe mir den schnellsten deiner Flügel,
Und führe mich in ihr Gefild.
Ach wenn ich nicht auf dieser Stelle bleibe,
Wenn ich es wage nah' zu gehn,
Kann ich sie nur als wie im Nebel sehn! –
Das schönste Bild von einem Weibe!
Ist's möglich, ist das Weib so schön?
Muß ich an diesem hingestreckten Leibe
Den Inbegriff von allen Himmeln sehn?
So etwas findet sich auf Erden?

Hier hat Goethe offenbar seine Entzückung durch die antike
Kunst in Italien gestaltet und schon angedeutet, wie der Weg
Fausts einmal nach Süden gehen und Faust sich Helena gewinnen wird. Hier stehen wir auch schon am Anfang jenes
faustischen Weges, der damit enden wird, daß Faust im zweiten Teil der Tragödie aller Magie und allem Zauberspuk ent-
sagt und, da er das Gespenst der Sorge durch Zauberspruch
verscheuchen könnte, es nicht tut:

Noch hab' ich mich ins Freie nicht gekämpft.
Könnt' ich Magie von meinem Pfad entfernen,
Die Zaubersprüche ganz und gar verlernen,
Stünd' ich, Natur, vor dir ein Mann allein,
Da wär's der Mühe wert, ein Mensch zu sein.

Goethe hat sich in Italien das errungen, was einst die welthistorische Sendung des antiken Griechenland gewesen war:
den Sieg des klaren Logos über alles dämonisch düstere, wüste
und verworrene Weltgefühl, den Sieg der Schönheit über alle
formlos häßliche, chaotisch wilde Barbarei, den Sieg des
reinen Menschengeistes über Magie und zauberische Gaukelei, den Sieg der Klarheit über Spuk und Wahn.

So also ist die Hexenküche ein Denkmal der südlichen
Wandlung Goethes geworden, obwohl es auf den ersten Blick
scheinen könnte, daß grade diese Szene das nordische Wesen
besonders deutlich zum Ausdruck bringt.

Die zweite Szene aber, die Goethe in Italien schrieb: «Wald
und Höhle», stellt Faust in einer dermaßen unfaustischen
Stimmung dar, daß sie fast wie ein Fremdkörper, wie eine
Art von Vergeßlichkeit Goethes im ersten Teil der Tragödie
dasteht:

Erhabner Geist, du gabst mir, gabst mir alles,
Warum ich bat. Du hast mir nicht umsonst
Dein Angesicht im Feuer zugewendet.
Gabst mir die herrliche Natur zum Königreich,
Kraft, sie zu fühlen, zu genießen. Nicht
Kalt staunenden Besuch erlaubst du nur,
Vergönnest mir, in ihre tiefe Brust,
Wie in den Busen eines Freunds, zu schauen.
Du führst die Reihe der Lebendigen
Vor mir vorbei, und lehrst mich meine Brüder
Im stillen Busch, in Luft und Wasser kennen.

Und wenn der Sturm im Walde braust und knarrt,
Die Riesenfichte stürzend Nachbaräste
Und Nachbarstämme quetschend niederstreift,
Und ihrem Fall dumpf hohl der Hügel donnert,
Dann führst du mich zur sichern Höhle, zeigst
Mich dann mir selbst, und meiner eignen Brust
Geheime tiefe Wunder öffnen sich,
Und steigt vor meinem Blick der reine Mond
Besänftigend herüber, schweben mir
Von Felsenwänden, aus dem feuchten Busch
Der Vorwelt silberne Gestalten auf
Und lindern der Betrachtung strenge Lust.

Das nenne ich eine Goethesche Vergeßlichkeit. Er läßt seinen
Faust ganz aus der Rolle fallen. Faust, von seiner nordischen Unrast befreit, in reiner, ruhender, stiller, inniger Betrachtung der
Natur, in Goethes eigener südlicher Stimmung. Der Erdgeist,
vor dem Faust im «Urfaust» verzweifelt zusammenbrach, hat
hier all seine Wünsche erfüllt und ihm die Kraft gegeben, die
ganze Natur in ihrer Einheit, das ganze Leben als eine Harmonie, eine Brüderlichkeit aller Lebendigen zu fühlen, zu genießen
und sich selbst in diese Einheit und Brüderlichkeit eingeschlos-
sen zu empfinden. «Der Vorwelt silberne Gestalten» aber: das
sind doch wohl die griechischen, in Marmor glänzenden Götter. Nur mit einem Salto mortale findet Goethe aus solcher
Selbstvergessenheit wieder zurück in die faustische Stimmung:

O daß dem Menschen nichts Vollkommnes wird,

so setzt sich der Monolog fort – und es ist bezeichnend, daß
diese Fortsetzung *nicht* in Italien entstanden ist –

Empfind' ich nun. Du gabst zu dieser Wonne,
Die mich den Göttern nah und näher bringt,
Mir den Gefährten, den ich schon nicht mehr
Entbehren kann, wenn er gleich, kalt und frech,

Mich vor mir selbst erniedrigt, und zu Nichts,
Mit einem Worthauch, deine Gaben wandelt.
Er facht in meiner Brust ein wildes Feuer
Nach jenem schönen Bild geschäftig an.
So tauml' ich von Begierde zu Genuß,
Und im Genuß verschmacht' ich nach Begierde.

Als Goethe nach seiner Rückkehr die in Italien gedichteten
Teile in «Faust. Ein Fragment» veröffentlichte, hat er auch
die Gretchentragödie, die im «Urfaust» bis zum tragischen
Ende von Gretchens Schicksal geführt war, nur fragmenta-
risch gegeben und läßt das Fragment mit der Domszene und
Gretchens Ausruf: «Nachbarinn! Euer Fläschchen!–» enden.
Die im «Urfaust» folgenden Szenen: «Trüber Tag. Feld»;
«Nacht. Offen Feld» und die Kerkerszene blieben fort, was
ebenfalls ein Zeichen der Goetheschen Wandlung bedeutet.
Denn Goethe konnte sich nun nicht entschließen, sein Werk
so erschütternd und dissonierend, so kraß und naturalistisch
ausklingen zu lassen. Auch war die Kerkerszene im «Urfaust»
ja in Prosa gehalten. Goethe hatte die Form noch nicht gefunden, in welcher er sie künstlerisch stilistisch hätte verantwor-
ten können. Er fand sie erst in der dritten Periode seiner Arbeit
am «Faust». Die erste war die des «Urfaust», die zweite die
des «Fragments», die dritte war die, in der er durch Schiller
besonders angeregt wurde, wieder an den «Faust» zu gehen.
Er schrieb damals in einem Brief an Schiller[23]: «Einige tragische Szenen waren in Prosa geschrieben, sie sind durch ihre
Natürlichkeit und Stärke, in Verhältnis gegen das andere ganz
unerträglich. Ich suche sie deswegen gegenwärtig in Reime zu
bringen, da denn die Idee wie durch einen Flor durchscheint,
die unmittelbare Wirkung des ungeheuren Stoffes aber gedämpft wird.» Die eine dieser Szenen war die Kerkerszene
(die andere «Trüber Tag. Feld»). Aber nur die Kerkerszene

57

wurde aus der Prosa in rhythmisch gereimte Form verwandelt. In dieser gebundenen Form hat Goethe sie in der «Tragödie erstem Teil» 1808 veröffentlicht. Man muß die Prosafassung aus dem «Urfaust» mit der gereimten Fassung selbst vergleichen. Es ist wirklich einzigartig, wie es Goethe gelang, in der endgültigen Gestalt die Gewalt der Form zum Triumph zu bringen. Die Idee scheint nun wirklich wie durch einen Flor hindurch, und die unmittelbare Wirkung des ungeheuern Stoffes ist gedämpft. Ich will nicht leugnen, daß die Fassung des «Urfaust» durch ihre Stärke und Natürlichkeit doch noch eindrucksvoller und ausdrucksvoller ist. Aber es hat kaum einen Sinn, an der Wandlung des Goetheschen Stiles herumzunörgeln, die sich mit Notwendigkeit aus seiner ganzen Entwicklung ergab. Man kann vielleicht diese Dämpfung und Mäßigung durch die Form gegenüber der Stärke und Natürlichkeit des Ausdrucks bedauern, aber man wird sie doch als einen Versuch Goethes begrüßen, die deutsche Dichtung und damit überhaupt die deutsche Kultur auf eine höhere Stufe zu heben.

Man vergleiche als Beispiel eine Stelle aus dem «Urfaust» mit der gereimten Fassung:

Margr: Ich begreiffs nicht! Du? Die Fesseln los! Befreyst mich.
Wen befreyst du? Weist du's?

Faust: Komm! komm!

Margr: Meine Mutter hab ich umgebracht! Mein Kind hab ich ertränckt. Dein Kind! Heinrich! – Groser Gott im Himmel soll das kein Traum seyn! Deine Hand Heinrich! – Sie ist feucht – Wische sie ab ich bitte dich! Es ist Blut dran – Stecke den Degen ein! Mein Kopf ist verrückt.

Faust: Du bringst mich um.

Margr: Nein du sollst überbleiben, überbleiben von allen. Wer sorgte für die Gräber! So in einer Reihe ich bitte dich, neben die Mutter den Bruder da! Mich dahin und mein Kleines an die rechte Brust. Gieb mir die Hand drauf du bist mein Heinrich.

Faust (will sie weg ziehen): Fühlst du mich! Hörst du mich! komm ich bins ich befreye dich.

Margr: Da hinaus.

Faust: Freyheit!

Margr: Da hinaus! Nicht um die Welt. Ist das Grab draus, komm! Lauert der Todt! komm. Von hier in's ewige Ruhe Bett weiter nicht einen Schritt. Ach Heinrich könnt ich mit dir in alle Welt.

Faust: Der Kerker ist offen säume nicht.

Margr: Sie lauren auf mich an der Strase am Wald.

Faust: Hinaus! Hinaus!

Margr: Ums Leben nicht – Siehst du's zappeln! Rette den armen Wurm er zappelt noch! – Fort! geschwind! Nur übern Steg, gerad in Wald hinein links am Teich wo die Planke steht. Fort! rette! rette!

Faust: Rette! Rette dich!

Margr: Wären wir nur den Berg vorbey, da sizzt meine Mutter auf einem Stein und wackelt mit dem Kopf! Sie winckt nicht sie nickt nicht, ihr Kopf ist ihr schweer. Sie sollt schlafen dass wir könnten wachen und uns freuen beysammen.

Faust (ergreifft sie und will sie wegtragen).

Margr: Ich schreye laut, laut dass alles erwacht.

Faust: Der Tag graut. O Liebgen! Liebgen!

59

Margr: Tag! Es wird Tag! Der lezte Tag! Der Hochzeit Tag! – Sags niemand dass du die Nacht vorher bey Gretgen warst. – Mein Kränzgen! – Wir sehn uns wieder! – Hörst du die Bürger schlürpfen nur über die Gassen! Hörst du! Kein lautes Wort. Die Glocke ruft! – Krack das Stäbgen bricht! – Es zuckt in jedem Nacken die Schärfe die nach meinem zuckt! – Die Glocke hör.

Meph: (erscheint) Auf oder ihr seyd verlohren, meine Pferde schaudern, der Morgen dämmert auf.

Margr: Der! der! Lass ihn schick ihn fort! der will mich! Nein! Nein! Gericht Gottes komm über mich, dein bin ich! rette mich! Nimmer nimmermehr! Auf ewig lebe wohl! Leb wohl Heinrich.

Faust (sie umfassend): Ich lasse dich nicht!

Margr: Ihr heiligen Engel bewahret meine Seele – mir grauts vor dir Heinrich.

Meph: Sie ist gerichtet! (er verschwindet mit Faust, die Thüre rasselt zu man hört verhallend:) Heinrich! Heinrich!

Und nun die gereimte Fassung:

Margarete: Du machst die Fesseln los,
Nimmst wieder mich in deinen Schoß.
Wie kommt es, daß du dich vor mir nicht scheust? –
Und weißt du denn, mein Freund, wen du befreist?

Faust: Komm! komm! schon weicht die tiefe Nacht.

Margarete: Meine Mutter hab' ich umgebracht,
Mein Kind hab' ich ertränkt.
War es nicht dir und mir geschenkt?
Dir auch. – Du bist's! Ich glaub' es kaum.

60

Gib deine Hand! Es ist kein Traum!
Deine liebe Hand! Ach aber sie ist feucht!
Wische sie ab! Wie mich deucht,
Ist Blut dran.
Ach Gott! was hast du getan!
Stecke den Degen ein,
Ich bitte dich drum!

Faust: Laß das Vergangne vergangen sein,
Du bringst mich um.

Margarete: Nein, du mußt übrig bleiben!
Ich will dir die Gräber beschreiben.
Für die mußt du sorgen
Gleich morgen;
Der Mutter den besten Platz geben,
Meinen Bruder sogleich darneben,
Mich ein wenig beiseit',
Nur nicht gar zu weit!
Und das Kleine mir an die rechte Brust.
Niemand wird sonst bei mir liegen! –
Mich an deine Seite zu schmiegen,
Das war ein süßes, ein holdes Glück!
Aber es will mir nicht mehr gelingen;
Mir ist's, als müßt' ich mich zu dir zwingen,
Als stießest du mich von dir zurück;
Und doch bist du's und blickst so gut, so fromm.

Faust: Fühlst du, daß ich es bin, so komm!

Margarete: Dahinaus?

Faust: Ins Freie.

Margarete: Ist das Grab drauß,
Lauert der Tod, so komm!

Von hier ins ewige Ruhebett
Und weiter keinen Schritt –
Du gehst nun fort? O Heinrich, könnt' ich mit!

Faust: Du kannst! So wolle nur! Die Tür steht offen.

Margarete: Ich darf nicht fort; für mich ist nichts zu hoffen.
Was hilft es fliehn? Sie lauern doch mir auf.
Es ist so elend, betteln zu müssen,
Und noch dazu mit bösem Gewissen!
Es ist so elend, in der Fremde schweifen,
Und sie werden mich doch ergreifen!

Faust: Ich bleibe bei dir.

Margarete: Geschwind! Geschwind!
Rette dein armes Kind.
Fort! Immer den Weg
Am Bach hinauf,
Über den Steg,
In den Wald hinein,
Links, wo die Planke steht,
Im Teich.
Faß es nur gleich!
Es will sich heben,
Es zappelt noch!
Rette! rette!

Faust: Besinne dich doch!
Nur *einen* Schritt, so bist du frei!

Margarete: Wären wir nur den Berg vorbei!
Da sitzt meine Mutter auf einem Stein,
Es faßt mich kalt beim Schopfe!
Da sitzt meine Mutter auf einem Stein
Und wackelt mit dem Kopfe;

Sie winkt nicht, sie nickt nicht, der Kopf ist ihr schwer,
Sie schlief so lange, sie wacht nicht mehr.
Sie schlief, damit wir uns freuten.
Es waren glückliche Zeiten!

Faust: Hilft hier kein Flehen, hilft kein Sagen,
So wag' ich's, dich hinweg zu tragen.

Margarete: Laß mich! Nein, ich leide keine Gewalt!
Fasse mich nicht so mörderisch an!
Sonst hab' ich dir ja alles zu Lieb' getan.

Faust: Der Tag graut! Liebchen! Liebchen!

Margarete: Tag! Ja es wird Tag! der letzte Tag dringt herein;
Mein Hochzeittag sollt' es sein!
Sag niemand, daß du schon bei Gretchen warst.
Weh meinem Kranze!
Es ist eben geschehn!
Wir werden uns wiedersehn;
Aber nicht beim Tanze.
Die Menge drängt sich, man hört sie nicht.
Der Platz, die Gassen
Können sie nicht fassen.
Die Glocke ruft, das Stäbchen bricht.
Wie sie mich binden und packen!
Zum Blutstuhl bin ich schon entrückt.
Schon zuckt nach jedem Nacken
Die Schärfe, die nach meinem zückt.
Stumm liegt die Welt wie das Grab!

Faust: O wär' ich nie geboren!

Mephistopheles (erscheint draußen): Auf! oder ihr seid
verloren.
Unnützes Zagen! Zaudern und Plaudern!

Meine Pferde schaudern,
Der Morgen dämmert auf.

Margarete: Was steigt aus dem Boden herauf?
Der! der! Schicke ihn fort!
Was will der an dem heiligen Ort?
Er will mich!

Faust: Du sollst leben!

Margarete: Gericht Gottes! dir hab' ich mich übergeben!

Mephistopheles (zu Faust): Komm! komm! Ich lasse dich
mit ihr im Stich.

Margarete: Ihr Engel! Ihr heiligen Scharen,
Lagert euch umher, mich zu bewahren!
Heinrich! Mir graut's vor dir.

Mephistopheles: Sie ist gerichtet!

Stimme (von oben): Ist gerettet!

Mephistopheles (zu Faust): Her zu mir!
(Verschwindet mit Faust)

Stimme (von innen, verhallend): Heinrich! Heinrich!

Der Unterschied der beiden Fassungen ist deutlich: die Stärke
und Natürlichkeit im «Urfaust» und die «Umflorung» und
Dämpfung in der letzten Fassung. Diese umflorte und gedämpf-
te Form entspricht ganz der inneren Wandlung. Die Stimme
von oben verkündet nun Gretchen die Rettung und Erlösung.
Die neue Form aber ist um so erstaunlicher, als sie durch ver-
hältnismäßig geringe Veränderungen zustande kam und der
Urfaustfassung eine neue Linearität und Klarheit verlieh.

Nach seiner Rückkehr aus Italien (1789) hat Goethe die
Arbeit am Faust jahrelang wieder zurückgelegt. Noch war die

Erinnerung an Italien zu lebendig, die innere Gegenwart Roms noch zu stark, als daß er die Stimmung gefunden hätte, seinen nordischen Faust wieder zu beschwören. Als er dann (1796) den Entschluß faßte, mit seinem Schweizer Freund Heinrich Meyer zusammen noch einmal nach Italien zu reisen, und als die Erkrankung des Freundes den Aufbruch hinausschob und ihn nötigte, sich auf noch einen nordischen Winter gefaßt zu machen, in diesem unruhigen Zustand entschloß er sich, wieder an den «Faust» zu gehen und ihn, wo nicht zu vollenden, doch wenigstens um ein gutes Teil vorwärts zu bringen, was er für eine Arbeit hielt, die zu einer verworrenen Stimmung, wie sie die Ungewißheit vor seiner Abreise verursachte, recht gut paßte. Diesmal aber wandte er sich an Schiller, den neu gewonnenen Freund, um Rat, und damit beginnt nun die dritte Phase in der Geschichte der Faustdichtung. Aber trotz Schillers Beratung geht die Arbeit in den folgenden Jahren, wenn auch vorwärts, so doch nur mit neuen Schwankungen und Hemmungen, wovon Goethes Briefe an Schiller beredtes Zeugnis ablegen. So schreibt er am 5. Juli 1797 an Schiller: «Faust ist die Zeit zurückgelegt worden; die nordischen Phantome sind durch die südlichen Reminiszenzen auf einige Zeit zurückgedrängt worden.» Am 6. Dezember 1797: «Halten Sie sich ja zu Ihrem Wallenstein, ich werde wohl zunächst an meinen Faust gehen, theils um diesen Tragelaphen [das ist ein Ungeheuer] los zu werden, theils um mich zu einer höhern und reinern Stimmung, vielleicht zum Tell, vorzubereiten.» (Goethe beschäftigte sich damals mit einem Epos in Hexametern, «Wilhelm Tell», dessen Idee er in der Schweiz gefaßt hatte.) Am 30. Januar 1798 schreibt er in einem Brief an Hirt: «Ihre letzten Aufsätze über Laokoon habe ich noch nicht gesehen. Verzeihen Sie wenn ich über diese schwierige Materie mich sobald nicht äußern kann, ich bin für den Moment himmelweit von solchen reinen und edlen

Gegenständen entfernt, indem ich meinen Faust zu endigen, mich aber auch zugleich von aller nordischen Barbarey loszusagen wünsche.» Am 14. April 1798 an Schillers Frau: «Vor die schöne Homerische Welt ist gleichfalls ein Vorhang gezogen» – Goethe war damals mit einer «Achilleis» beschäftigt – «und die nordischen Gestalten, Faust und Compagnie, haben sich eingeschlichen.» Am 2. Januar 1799 an Cotta: «Mein Faust ist zwar im vorigen Jahre ziemlich vorgerückt, doch wüßt ich bey diesem Hexenproducte die Zeit der Reife nicht voraus zu sagen.»

Die Briefe dieses Zeitraums sind voll von solchen Bezeichnungen für den «Faust», wie: «barbarische Komposition», «barbarische Produktion», «Reim- und Strophendunst», «Hexenprodukt», «nordische Barbarei». Er arbeitet am «Faust», um ihn loszuwerden wie ein häßliches Gespenst und sich für eine reinere, edlere und höhere Stimmung vorzubereiten.

So wächst der «Faust», das größte Werk der deutschen Dichtung, wenigstens der Tragödie erster Teil, heran, der 1808 erschien, die seltsamste Entstehung wahrlich, die man sich nur denken kann, aber eine innerlich notwendige und ganz verständliche, wenn man den Konflikt bedenkt, der dadurch entstand, daß der nordischste Gegenstand von Goethe eine hellenische Form und Gestalt verlangte, daß Faust, um im Symbol zu sprechen, sich Helena gewinnen sollte. Nur wenn Goethe vor dieser Aufgabe stand und Fausts Verlangen nach Helena nachzukommen versuchte, wenn er Helena in seiner Dichtung wirklich auftreten lassen konnte, war er mit ganzer Seele und Lust dabei. Als er am 12. September 1800 Schiller in einem Brief mitteilen konnte: «Meine Helena ist wirklich aufgetreten», da klingt das wie ein Jubelruf, ein Ruf der Erleichterung. Goethe hat im Herbst 1800 wirklich den alten Plan zu verwirklichen begonnen, Helena in seiner Dichtung zu gestalten und sie mit Faust zu vermählen. Der Auftritt Helenas von 1800 ist uns in antiken Trimetern erhalten.

Sofort aber macht sich eine neue Schwierigkeit bemerkbar. Das Schöne in der Lage seiner Heldin Helena zog Goethe so sehr an, daß es ihn, wie er an Schiller schreibt, betrübte, wenn er es zunächst in eine Fratze verwandeln sollte. Eine Fratze nämlich schien es ihm zu sein, wenn er Helena, die südlich griechische Schönheit, mit seinem nordischen Faust vermählen und so «verbarbarieren» sollte. Er fühlte wirklich nicht geringe Lust, Helena von seinem «Faust» ganz abzutrennen und eine selbständige, ernsthafte Helenatragödie, nach dem Vorbilde des Euripides, in antikem Stil, auf sie zu gründen. Schiller hilft ihm auch aus dieser Verlegenheit[24]. «Lassen Sie sich aber ja nicht», so schreibt er an Goethe, «durch den Gedanken stören, wenn die schönen Gestalten und Situationen kommen, daß es schade sei, sie zu verbarbarisieren. Der Fall könnte Ihnen im zweiten Teil des Faust noch öfters vorkommen, und es möchte einmal für allemal gut sein, Ihr poetisches Gewissen darüber zum Schweigen zu bringen. Das Barbarische der Behandlung, das Ihnen durch den Geist des Ganzen aufgelegt wird, kann den höhern Gehalt nicht zerstören und das Schöne nicht aufheben, nur es anders spezifizieren und für ein anderes Seelenvermögen zubereiten. Eben das Höhere und Vornehmere in den Motiven wird dem Werk einen eigenen Reiz geben, und Helena ist in diesem Stück ein Symbol für alle die schönen Gestalten, die sich hinein verirren werden. Es ist ein sehr bedeutender Vorteil, von dem Reinen mit Bewußtsein ins Unreinere zu gehen, anstatt von dem Unreinen einen Aufschwung zum Reinen zu suchen, wie bei uns übrigen Barbaren der Fall ist. Sie müssen also in Ihrem Faust überall Ihr *Faustrecht* behaupten.» Goethe antwortet darauf: «Der Trost, den Sie mir in Ihrem Briefe

geben, daß durch die Verbindung des Reinen und Abentheu-
erlichen ein nicht ganz verwerfliches, poetisches Ungeheuer
entstehen könne, hat sich durch die Erfahrung schon an mir
bestätigt, indem aus dieser Amalgamation seltsame Erscheinungen, an denen ich selbst einiges Gefallen habe, hervortreten[25].» Sieben Tage später: «Meine Helena ist die Zeit
auch etwas vorwärts gerückt. Die Hauptmomente des Plans
sind in Ordnung, und da ich in der Hauptsache Ihre Bei-
stimmung habe, so kann ich mit desto besserm Mute an die
Ausführung gehen. Ich mag mich dießmal gern zusammen-
halten und nicht in die Ferne blicken; aber das sehe ich
schon, daß, von diesem Gipfel aus» – er meint also Helena –
«sich erst die rechte Aussicht über das Ganze zeigen wird.»

Indessen war für den Augenblick noch Wichtigeres am
«Faust» zu tun. Der «Urfaust» und das «Fragment» von
1790 bestanden aus einer Reihe von Szenen, die scheinbar
ohne inneren Zusammenhang zu einer Bilderfolge aneinan-
dergereiht waren. Eine leitende, die Teile zusammenbindende
Idee, eine Einheit, in der alle Teile eine gemeinsame Funktion
besitzen, ein schließender Rahmen war nicht zu erkennen, so
daß diese beiden Fassungen, «Urfaust» und «Fragment»,
noch nicht den Charakter eines Kunstwerks hatten und mehr
genialen Improvisationen glichen. Eine gewisse Rat- und
Hilflosigkeit war denn auch bei den Lesern des «Fragments»
deutlich. Man fragte, riet und deutete herum, ohne doch den
Schlüssel zu finden, der das geheimnisvoll lockende Tor hätte
öffnen können. Man drängte Goethe, daß er ein Licht auf-
stecken möge. Aber er ließ den «Faust» nach seiner Rückkehr
aus Italien und der Veröffentlichung des «Fragmentes» wieder liegen. Er hatte keine Lust, an dieser barbarischen und
nordischen Komposition weiterzuschaffen, obwohl er nach
seiner Erziehung in Italien zur klassischen Kunst wußte, daß
noch das Wichtigste zu tun sei, daß die bunte Mannigfaltig-

keit der Bilder, die Fülle der dichterischen Eingebungen nach Einheit und geschlossener Form verlangte. Er dichtete wohl hier und da, je nach Stimmung, an Einzelheiten herum. Aber auch der neu gewonnene Freund Schiller, der ihn zur Vollendung des «Faust» drängte, konnte Goethes Hemmungen zunächst nicht überwinden. Am 22. Juni 1797 endlich schreibt Goethe an Schiller, er habe sich entschlossen, an seinen «Faust» zu gehen, er bitte aber Schiller, daß er die Güte haben möge, die Sache einmal in schlafloser Nacht durchzudenken und ihm die Forderungen, die er an das Ganze machen würde, vorzulegen und ihm so seine eigenen Träume als ein wahrer Prophet zu erzählen und zu deuten. Schiller antwortete bereits am nächsten Tage, 23. Juni 1797: «Ihre Aufforderung an mich, Ihnen meine Erwartungen und Desideria mitzuteilen, ist nicht leicht zu erfüllen; aber soviel ich kann, will ich Ihren Faden aufzufinden suchen, und wenn das auch nicht geht, so will ich mir einbilden, als ob ich die Fragmente von Faust zufällig fände und solche auszuführen hätte. So viel bemerke ich hier nur, daß der Faust, das Stück nämlich, bei aller seiner dichterischen Individualität, die Forderung an eine symbolische Bedeutsamkeit nicht ganz von sich weisen kann, wie auch wahrscheinlich Ihre eigene Idee ist. Die Duplizität der menschlichen Natur und das verunglückte Bestreben, das Göttliche und das Physische im Menschen zu vereinigen, verliert man nicht aus den Augen, und weil die Fabel ins Grelle und Formlose geht und gehen muß, so will man nicht bei dem Gegenstand stille stehen, sondern von ihm zu Ideen geleitet werden. Kurz, die Anforderungen an den Faust sind zugleich philosophisch und poetisch, und Sie mögen sich wenden, wie Sie wollen, so wird Ihnen die Natur des Gegenstandes eine philosophische Behandlung auflegen, und die Einbildungskraft wird sich zum Dienst einer Vernunftidee bequemen müssen.»

Symbolische Bedeutsamkeit, philosophische Behandlung, Dienst einer Vernunftidee! Der ganze Unterschied zwischen Schiller und Goethe war damit ausgesprochen. Aber Schiller hatte den Punkt getroffen, auf den in diesem Augenblick alles ankam, und die Polarität zwischen Schiller und Goethe entwikkelte nun in der Tat eine so fruchtbare Wirkung, daß die Schillersche Kritik sich als ein Musterbeispiel einer fördernden und schenkenden Kritik erwies. Denn Goethe ging nun wirklich in den nächsten Jahren daran, den neuauflebenden «Faust», wenigstens was den ersten Teil betrifft, zu Ende zu führen.

Wir stehen vor einem grandiosen Phänomen: daß die geniale Konzeption und Improvisation «Faust» zu einem Kunstwerk wurde. Denn erst damit, daß die zerstreuten, hingeworfenen Teile und Szenen sich zum Dienst einer leitenden Idee zusammenfanden, war der entscheidende Schritt zum Kunstwerk getan. Nicht etwa, daß die Idee jetzt dazugedichtet und nachträglich den schon vorhanden Szenen aufgepfropft wurde. Vielmehr war das Ganze vor den Teilen da. Die einzelnen Szenen entfalteten sich aus der Gesamtkonzeption heraus. Sonst wäre das Werk ein Stückwerk geblieben. Nur war die Idee, die der ganzen Konzeption zugrunde lag, noch nicht so klar und bewußt geworden, daß Goethe sie hätte aussprechen und mitteilen können. Wie denn überhaupt nach Goethes Überzeugung der Dichter nicht sein eigener Erklärer sein soll. Der Poetiker, der Ästhetiker, der Kritiker soll entscheiden, was der Dichter mit seiner Schöpfung gewollt hat. Die Idee, die in einem Kunstwerk zur Erscheinung kommt, ist kein abstrakter philosophischer Begriff. Die Idee ist nichts anderes als die Wahrheit, die einem dichterischen Bilde innewohnt, die allgemein gültige Bedeutung, die über den einzelnen Fall hinausgeht und das Bild zu ihrem Gleichnis macht. «Die Deutschen», sagte Goethe im Mai 1827, «sind übrigens wunderliche Leute! – Sie machen sich durch ihre tiefen Ge-

danken und Ideen, die sie überall suchen und überall hinein-
legen, das Leben schwerer als billig. – Ei! so habt doch endlich
einmal die Courage, *Euch den Eindrücken hinzugeben*, Euch ergöt-
zen zu lassen, Euch rühren zu lassen, Euch erheben zu lassen,
ja Euch belehren und zu etwas Großem entflammen und ermu-
thigen zu lassen; aber denkt nur nicht immer, es wäre alles eitel,
wenn es nicht irgend abstrakter Gedanke und Idee wäre!
Da kommen sie und fragen: welche Idee ich in meinem *Faust*
zu verkörpern gesucht? – Als ob ich das selber wüßte und aussprechen könnte! – *Vom Himmel durch die Welt zur Hölle*, das
wäre zur Noth etwas; aber das ist keine Idee, sondern Gang
der Handlung. Und ferner, daß der Teufel die Wette verliert,
und daß ein aus schweren Verirrungen immerfort zum Besseren aufstrebender Mensch zu *erlösen* sey, das ist zwar ein
wirksamer, Manches erklärender, guter Gedanke, aber es ist
keine *Idee*, die dem Ganzen und jeder einzelnen Scene im be-
sondern zu Grunde liege. Es hätte auch in der Tat ein schönes
Ding werden müssen, wenn ich ein so reiches, buntes, und so
höchst mannigfaltiges Leben, wie ich es im Faust zur An-
schauung gebracht, auf die magere Schnur einer einzigen
durchgehenden Idee hätte reihen wollen!»
«Es war im ganzen», fuhr Goethe fort, «nicht meine Art, als
Poet nach Verkörperung von etwas *Abstraktem* zu streben. Ich
empfing in meinem Innern *Eindrücke*, und zwar Eindrücke
sinnlicher, lebensvoller, lieblicher, bunter, hundertfältiger
Art, wie eine rege Einbildungskraft es mir darbot; und ich
hatte als Poet weiter nichts zu thun, als solche Anschauungen
und Eindrücke in mir künstlerisch zu ründen und auszubilden
und durch eine lebendige Darstellung so zum Vorschein zu
bringen, daß Andere dieselbigen Eindrücke erhielten, wenn
sie mein Dargestelltes hörten oder lasen[26].»
Man wird sich dieser Worte Goethes immer erinnern müssen, darf aber nicht vergessen, daß er hier unter Idee eine Ab-

straktion, einen Begriff versteht und nicht die allgemeingültige Wahrheit, die einem dichterischen Bilde, einem dargestellten Fall zugrunde liegt. Denn ohne eine Idee, in diesem letzten Sinn, wäre das Fragment «Faust» nie zu dem Kunstwerk geworden, das es in «Faust. Der Tragödie erster Teil» von 1808 geworden ist. Von Schiller ermutigt, ging Goethe wirklich daran, für eine so hochaufquellende Masse einen poetischen Reif zu suchen, der sie zusammenhält. Er dichtet 1797 und in den folgenden Jahren das Widmungsgedicht zum «Faust»: «Zueignung», das «Vorspiel auf dem Theater» und den «Prolog im Himmel». Die «Zueignung» beginnt:

> Ihr naht euch wieder, schwankende Gestalten,
> Die früh sich einst dem trüben Blick gezeigt.
> Versuch' ich wohl, euch diesmal festzuhalten?
> Fühl' ich mein Herz noch jenem Wahn geneigt?
> Ihr drängt euch zu! Nun gut, so mögt ihr walten,
> Wie ihr aus Dunst und Nebel um mich steigt;
> Mein Busen fühlt sich jugendlich erschüttert
> Vom Zauberhauch, der euren Zug umwittert.

Die «Zueignung» ist wie eine Erklärung, ja fast wie eine Entschuldigung, daß Goethe den «Faust» noch vollendete, obwohl seine Gestalten wie aus Dunst und Nebel um ihn steigen und sein Herz jenem alten Wahn nicht mehr geneigt ist. Aber manche liebe Schatten, erste Liebe und Freundschaft, steigen mit herauf:

> Was ich besitze, seh' ich wie im Weiten,
> Und was verschwand, wird mir zu Wirklichkeiten.

Dies Gedicht macht es offenbar, daß der «Faust» die schmerzliche Erinnerung an etwas Zerstobenes, Verklungenes, Verschwundenes, etwas nicht mehr Gegenwärtiges festzuhalten versucht. Es stellt den Leser sofort auf den Standpunkt, von dem das ganze Faustgedicht zu betrachten ist. Es versetzt sofort in jene wehmütige Stimmung, in der es ganz erlebt werden soll: eben daß es ein Gedicht der Erinnerung, der Schattenbeschwörung sei. Das «Vorspiel auf dem Theater» sodann, dieses dramatische Gespräch zwischen dem Dichter, der Lustigen Person und dem Theaterdirektor, in denen die Gestalten Fausts, Mephistos und des Herrn zu erkennen sind, führt uns auf den Weg, auf dem der «Faust» als *Kunstwerk* zu erleben ist. Der Dichter widersetzt sich dem Wunsch des Theaterdirektors, den Anforderungen, die das Theater und das Publikum an seinen «Faust» stellen, zu entsprechen:

Geh hin und such dir einen andern Knecht!
Der Dichter sollte wohl das höchste Recht,
Das Menschenrecht, das ihm Natur vergönnt,
Um deinetwillen freventlich verscherzen!
Wodurch bewegt er alle Herzen?
Wodurch besiegt er jedes Element?
Ist es der Einklang nicht, der aus dem Busen dringt
Und in sein Herz die Welt zurücke schlingt?
Wenn die Natur des Fadens ew'ge Länge,
Gleichgültig drehend, auf die Spindel zwingt,
Wenn aller Wesen unharmon'sche Menge
Verdrießlich durcheinander klingt,
Wer teilt die fließend immer gleiche Reihe
Belebend ab, daß sie sich rhythmisch regt?
Wer ruft das Einzelne zur allgemeinen Weihe,
Wo es in herrlichen Akkorden schlägt?
Wer läßt den Sturm zu Leidenschaften wüten?
Das Abendrot im ernsten Sinne glühn?
Wer schüttet alle schönen Frühlingsblüten
Auf der Geliebten Pfade hin?

Wer flicht die unbedeutend grünen Blätter
Zum Ehrenkranz Verdiensten jeder Art?
Wer sichert den Olymp? vereinet Götter?
Des Menschen Kraft, im Dichter offenbart.

Der Theaterdirektor besteht, solch absoluten Forderungen
an die Dichtung gegenüber, darauf, das Publikum wolle
etwas sehen und schauen. Es wolle nicht Einheit, sondern
Vielheit, Wechsel und Abwechslung, Buntheit, Vielgestaltig-
keit und Vieltönigkeit. Die Lustige Person verlangt dazu, daß
der Dichter auch nicht die Narrheit vergesse. Der Theaterdirektor schlichtet endlich den Streit: Das Universum ist eine
Ganzheit und Einheit von Sternen, Elementen und Geschöp-
fen jeder Art. Es besteht aus Himmel und Welt und Hölle.
Der Dichter also, der Ganzheit, Einklang und Harmonie
geben will, möge die Ganzheit und Einheit der Welt umfassen
und in seiner Dichtung den ganzen Kreis der Schöpfung aus-
schreiten und vom Himmel durch die Welt zur Hölle wandeln.

Nach diesem kleinen Welttheater hebt sich nun mit dem
«Prolog im Himmel» der Vorhang zum großen Welttheater
des Herrn, wodurch der «Faust» zu einer Art von mittel-
alterlichem Mysterienspiel wird. Das Wesen der Schöpfung
offenbart sich darin als ein ewiges Kunstwerk, in welchem
alles zu einer großen Harmonie zusammenklingt. Auch das
Gute und Böse. Die Erzengel singen von der Herrlichkeit der
göttlichen Schöpfung. Mephisto aber tritt zu diesen Kindern
Gottes wie Satan im Buche Hiob des Alten Testamentes es tat.
Er kann in die hymnischen Gesänge nicht einstimmen, weil
er alles «herzlich schlecht» auf Erden gefunden hat. Als der
Herr ihn fragt, ob er seinen Knecht, Faust, kenne, antwortet
Mephisto:

Fürwahr! er dient Euch auf besondre Weise.
Nicht irdisch ist des Toren Trank noch Speise.

Ihn treibt die Gärung in die Ferne,
Er ist sich seiner Tollheit halb bewußt;
Vom Himmel fordert er die schönsten Sterne
Und von der Erde jede höchste Lust,
Und alle Näh' und alle Ferne
Befriedigt nicht die tiefbewegte Brust.

Der Herr:
Wenn er mir jetzt auch nur verworren dient,
So werd' ich ihn bald in die Klarheit führen.
Weiß doch der Gärtner, wenn das Bäumchen grünt,
Daß Blüt' und Frucht die künft'gen Jahre zieren.

Meph:
Was wettet Ihr? den sollt Ihr noch verlieren,
Wenn Ihr mir die Erlaubnis gebt,
Ihn meine Straße sacht zu führen!

Der Herr:
So lang' er auf der Erde lebt,
So lange sei dir's nicht verboten.
Es irrt der Mensch, so lang' er strebt.
...
Nun gut, es sei dir überlassen!
Zieh diesen Geist von seinem Urquell ab,
Und führ' ihn, kannst du ihn erfassen,
Auf deinem Wege mit herab,
Und steh beschämt, wenn du bekennen mußt:
Ein guter Mensch in seinem dunklen Drange,
Ist sich des rechten Weges wohl bewußt.
...
Des Menschen Tätigkeit kann allzuleicht erschlaffen,
Er liebt sich bald die unbedingte Ruh;
Drum geb' ich gern ihm den Gesellen zu,
Der reizt und wirkt und muß als Teufel schaffen. –

Die Idee ist von dem Herrn hier ausgesprochen: «Es irrt der Mensch, so lang' er strebt», aber, so setzen wir hinzu, das Streben ist, wenn auch immer irrend, das göttliche Teil im Menschen, das Suchen und der Weg zu Gott, wenn auch auf dunklen Wegen, und am Schluß des zweiten Teiles «Faust» werden die Engel (schwebend in der höheren Atmosphäre, Faustens Unsterbliches tragend) singen:

Gerettet ist das edle Glied
Der Geisterwelt vom Bösen,
«Wer immer strebend sich bemüht,
Den können wir erlösen.»
Und hat an ihm die Liebe gar
Von oben teilgenommen,
Begegnet ihm die selige Schar
Mit herzlichem Willkommen.

Die Verse:

«Wer immer strebend sich bemüht,
Den können wir erlösen.»

sind von Goethe in Anführungsstriche gesetzt, offenbar um ihr ideelles Gewicht für den ganzen «Faust» besonders herauszuheben. Mephisto aber hat im «Prolog» eine hohe Sendung erhalten. Er wird Faust von Gott als Geselle beigegeben, damit er der ewige Stachel für ihn sei, der ihn nie erschlaffen läßt, sondern sein unendliches Aufwärtsstreben anreizt. Im «Urfaust» war Mephisto nicht der Bote Gottes, sondern des Erdgeistes. Faust bricht dort (wie auch im «Fragment» und im ersten Teil) vor dem Erdgeist, den er beschwor, verzweifelt zusammen, weil er seinen Anblick nicht ertragen kann, weil er ihm nicht gleicht. Aber der Erdgeist wird von Goethe selbst einmal der «Welt- und Tatengenius» genannt[27]. Er ist es, der alles schöpferische Tun, alles Werden und Vergehen in Natur,

76

Geschichte und Mensch erregt: «So schafft er am sausenden Webstuhl der Zeit / Und wirkt der Gottheit lebendiges Kleid.» Faust kann diesen Genius nicht begreifen, noch nicht begreifen, weil er selbst noch kein Tatengenius ist, der er jedoch im zweiten Teil der Tragödie sein wird. Reste dieser Idee des Erdgeistes als *Tatengenius*, der Mephisto an Faust sendet, sind noch bis in den «ersten Teil Faust» stehengeblieben: In den Szenen «Trüber Tag. Feld» und «Wald und Höhle». In «Trüber Tag. Feld», wo Faust den «großen herrlichen Geist» anruft: «der du mir zu erscheinen würdigtest, der du mein Herz kennest und meine Seele, warum an den Schandgesellen mich schmieden, der sich am Schaden weidet und am Verderben sich letzt?» In der Szene «Wald und Höhle», die mit den Worten beginnt: «Erhabner Geist, du gabst mir, gabst mir alles, / Warum ich bat», heißt es dann später: «O daß dem Menschen nichts Vollkommnes wird, / Empfind' ich nun. Du gabst zu dieser Wonne, / Die mich den Göttern nah und näher bringt, / Mir den Gefährten, den ich schon nicht mehr / Entbehren kann, wenn er gleich, kalt und frech, / Mich vor mir selbst erniedrigt, und zu Nichts, / Mit einem Worthauch, deine Gaben wandelt.»

Aber diese Auffassung, daß der *Erdgeist* Mephisto zu Faust gesendet habe, ist von Goethe fallengelassen worden, und die stehengebliebenen Reste haben in der endgültigen Fassung keine Konsequenzen. Mephisto ist nun ein Bote *Gottes* an Faust geworden und hat also von Gott in seinem göttlichen Weltplan eine hohe Sendung erhalten. Er soll Faust, dessen tätiges Streben nur allzuleicht erschlaffen kann, dadurch zu immer neuem Streben anreizen, daß er ihm einen Augenblick zu verschaffen sucht, zu dem Faust sagen könnte: «Verweile doch, du bist so schön», womit sein Streben erstarren würde, daß er ihn aber dadurch grade nie erschlaffen läßt, weil Faust jeden solchen Augenblick als unbefriedigend und leer empfinden und so von Augenblick zu Augenblick immer höher streben wird. Ich nenne den Goetheschen «Faust» eine Theodicee, eine Rechtfertigung Gottes dafür, daß es das Böse im göttlichen Weltplan gibt. Der «Faust» offenbart den Sinn und die Notwendigkeit des mephistophelischen Prinzips im göttlichen Schöpfungsplan. Mephisto, der Feind allen Werdens, aller Verjüngung, allen Strebens, ist in Wahrheit der ewige Stachel zur ewigen Verjüngung, zum unendlichen Werden. Er ist der Geist, der «stets das Böse will und stets das Gute schafft».

Man sieht, wie hier der ideelle Rahmen entstand, den Schiller von der Goetheschen Dichtung verlangte. Sie wurde zur Erscheinung einer Idee, wenn man natürlich unter Idee nicht einen philosophischen und abstrakten Begriff, nicht einen zu beweisenden Lehrsatz versteht – danach darf man im «Faust» nicht suchen – sondern den ewigen, allgemein gültigen, symbolischen Gehalt eines Bildes, einer Gestalt, ihre innere Wahrheit. «Es irrt der Mensch, so lang' er strebt.» Aber das menschliche Streben, auch wenn es immer irrend geht, ist doch das göttliche Teil im guten Menschen und wird ihn endlich doch in die Klarheit führen. Das böse, mephistophelische Prinzip aber, die Sucht nach Erstarrung und Erschlaffung, wird nur der ewige Stachel sein, der den Menschen grade vor Erstarrung und Erschlaffung schützt.

Mephisto aber muß nun, um Gelegenheit zu bekommen, von Gottes Erlaubnis Gebrauch zu machen und zu versuchen, Faust von seinem Wege abzulenken und ihn seine, Mephistos Straße hinabzuführen und das faustische Streben in ihm auszulöschen, die Wette mit Faust eingehen und den Pakt mit ihm schließen.

Im «Urfaust» und im «Fragment» hatte noch eine große Lücke geklafft. Nach der ersten Szene zwischen Faust und Wagner war Mephisto ganz ohne Einführung und ohne Beschwörung mit dem Studenten aufgetreten. Diese Lücke wurde nun von Goethe in der Zeit der Freundschaft mit Schiller geschlossen. Mephisto wird in der Szene: «Vor dem Tor», dem «Osterspaziergang», eingeführt, in der ersten Studierzimmerszene beschworen, und in der zweiten Studierzimmerszene geht Faust die Wette mit ihm ein:

Faust: Werd' ich beruhigt je mich auf ein Faulbett legen,
So sei es gleich um mich getan!
Kannst du mich schmeichelnd je belügen,
Daß ich mir selbst gefallen mag,
Kannst du mich mit Genuß betrügen,
Das sei für mich der letzte Tag!
Die Wette biet' ich!

Mephistopheles: Topp!

Faust: Und Schlag auf Schlag!
Werd' ich zum Augenblicke sagen:
Verweile doch! du bist so schön!
Dann magst du mich in Fesseln schlagen,
Dann will ich gern zugrunde gehn!
Dann mag die Totenglocke schallen,
Dann bist du deines Dienstes frei,
Die Uhr mag stehn, der Zeiger fallen,
Es sei die Zeit für mich vorbei!

Diese Wette ist nicht leicht zu verstehen und wird auch oft falsch verstanden. Was will Faust mit ihr erreichen? Fühlt er, daß eines Menschen Geist in seinem hohen Streben von Mephisto nie gefaßt werden kann, und ist er darum so sicher, daß der böse Geist ihm nie einen Augenblick wird schaffen können, zu dem er sagen könnte: «Verweile doch, du bist so schön»? Wozu aber dann die Wette? Es wäre nichts damit getan. Wenn Faust sie gewinnt, bleibt er in seiner alten Qual, in ewiger Unrast, nie gesättigt. Oder will Faust Mephisto beweisen, daß ein Mensch wie er, ein hochstrebender Menschengeist, niemals, durch keinen Genuß eines noch so schönen Augenblicks befriedigt werden kann? Aber das wäre eine armselige Genugtuung, vor Mephisto als ein hoch aufwärtsstrebender Geist dazustehen. Oder will Faust beweisen, daß die Welt so schlecht und nichtig ist, daß kein Augenblick schön genug ist, um ihn ganz erfüllen zu können? Aber solch Beweis wäre ganz unnütz. Mephisto weiß es, glaubt es selbst. Er ist ein Pessimist. Die Wahrheit aber, meine ich, ist, daß Faust die Wette gar nicht gewinnen *will.* Er will von der faustischen Qual des ruhelosen Suchens und Strebens ja grade erlöst werden. Er will die Wette verlieren und reizt Mephisto, diesen Geist des Widerspruchs, durch sie auf, ihm einen solchen Augenblick doch zu verschaffen. Wer könnte es auch sonst, wenn eben nicht Mephisto, wenn nicht das mephistophelische Prinzip der Erstarrung und Erschlaffung, der Feind allen Schaffens und Strebens. Faust hofft, die Wette zu verlieren, er fürchtet, sie zu gewinnen. Er bleibt sich seines hohen Strebens wohl bewußt und hat daher die Angst, daß er der Niebefriedigte bleiben werde. Er weiß auch, daß, sollte es Mephisto wirklich gelingen, ihm solchen Augenblick der Erfüllung zu schaffen, es doch immer nur ein bloßer Sinnentaumel, ein Selbstbetrug, und also ein schmerzlicher Genuß sein würde. Aber er versucht es doch. Denn ein solcher Augenblick erscheint ihm wert, Leben und Seelenheil dafür hinzugeben.

Diese Wette ist das Gegenstück zu der Wette zwischen dem Herrn und Mephisto, die der «Prolog im Himmel» darstellt. Der Herr: Du wirst es nicht vermögen, Faust von seinem göttlichen Urquell abzuziehen. Mephisto: Ich werde es vermögen. Doch der Herr weiß und will, daß Mephisto die Wette verlieren und grade der Stachel sein werde, der Fausts Streben nie zur Erschlaffung kommen läßt. Faust aber will im Gegensatz zu Gott die Wette verlieren.

Man wird das Verhältnis von Faust und Mephisto aber erst ganz verstehen, wenn man bedenkt, daß Faust den mephistophelischen Trieb in seiner eigenen Brust trägt. Er wünscht die mephistophelische Erstarrung, um von der faustischen Qual der Sehnsucht erlöst zu werden. Er verlangt nach dem Genuß des Augenblicks, um seines ruhelosen Strebens zu vergessen. Das ist der Konflikt im inneren Seelenraume Fausts, der sich in der zwischen Faust und Mephisto sich abspielenden Tragödie nur äußerlich, symbolisch sichtbar verkörpert. Der göttliche Trieb in Faust fordert gleichsam den mephistophelischen in ihm heraus. In diesen beiden Gestalten hat Goethe seine eigene innere Tragödie, die Spannung und Spaltung seiner Seele dargestellt. Das Faustdrama ist das Drama der Goetheschen, vielmehr der faustischen Seele oder Zweiseelenhaftigkeit. Es ist in vielen Werken Goethes ja so auffällig, wie Goethe sich selbst in zwei polaren Gestalten darstellt. Man muß sie zusammennehmen: Götz und Weislingen, Egmont und Oranien, Tasso und Antonio, Prometheus und Epimetheus, und so auch Faust und Mephisto. Es ist nicht nötig, für Mephisto nach äußeren Vorbildern zu suchen; man glaubt solche manchmal in Herder oder Merck, kritisch-ironischen Geistern aus Goethes Freundeskreis, zu finden. Aber Goethe fand Mephisto in sich selbst und hat ihn aus seinem eigenen Innenraum herausgehoben und in den äußeren Raum gestellt. Das unendliche Streben, das Allverlangen, die Ganzheitssehnsucht war in Goethe ebenso wie sein Wunsch und Wille, von der faustischen «Gärung in die Ferne» auszuruhen und sich dem Genuß des Augenblickes, der Gegenwart, hinzugeben. Ja man glaubt, das mephistophelische Prinzip als ein in Gott selbst wirksames zu erleben: Gott selbst bedarf des Widerspruchs, des Geistes der Verneinung, damit die Schöpfung werde und ewig werdend bleibe. Gott selbst schafft die Finsternis, damit das Licht werde. Er schafft das Chaos, damit der Kosmos werde. Gott selbst geht ein in die Vereinzelung der Teile und der Stücke, damit der göttliche Zusammenklang, die Harmonie der Teile tönend werde. Gott selbst geht ein in den vergänglichen Augenblick, den ewigen Tod aller Dinge, damit grade durch die ewige Zerstörung, durch das Sterben und Vergehen der Schöpfung sie sich ewig erneuern, verwandeln, verjüngen kann.

Mephisto ist somit ein Teil Gottes wie auch des faustischen Menschen, den er dadurch, daß er ihn an den Augenblick zu fesseln versucht, die Unzulänglichkeit und Leerheit jeden Augenblicks erleben läßt und ihn so von Augenblick zu Augenblick höher treibt.

Mit der Wette hat Goethe also den Rahmen gefunden, den Schiller von ihm gewünscht hatte. Was im «Urfaust» und «Fragment» nur ein bunter Wechsel von Bildern gewesen war, ohne daß der einzelne Teil eine Funktion im Gesamtorganismus der ganzen Dichtung gehabt hätte, wird nun zu einer Stufenfolge von Augenblicken, für die Mephisto sorgt, um Faust das gefährliche: «Verweile doch, du bist so schön» zu entlocken. Nur darf man diese leitende Idee im Zusammenhang der Fausthandlung nicht überanstrengen. Goethe wollte es sich ausdrücklich bei dieser «barbarischen Komposition» bequemer machen und die höchsten Forderungen an die Kunst mehr nur zu berühren als zu erfüllen trachten. Er werde, so schreibt er an Schiller, dafür sorgen, daß die Teile anmutig und unterhaltend seien und etwas denken lassen (27. Juni 1797), «bei dem Ganzen, das immer ein Fragment bleiben wird, mag mir die neue Theorie des epischen Gedichts zu statten kommen ...» (Goethe dachte an Friedrich August Wolfs Prolegomena zu Homer, wo das Homerische Epos nicht als Einheit, sondern als eine Summe von rhapsodischen Gesängen entwickelt wurde.) Die Stufenfolge von Augenblicken aber stellt sich etwa so dar:

Faust wird zuerst von Mephisto ins Leben hinausgeführt und in «Auerbachs Keller» gebracht, wo die Studenten Frosch, Brander, Siebel und Altmayer mit Saufen und Schreien eine geist- und geschmacklose Zeche abhalten. Faust aber nimmt an diesem niedrigen Zeitvertreib nicht teil. Im «Urfaust», wo die Szene auch schon stand, hatte er selbst noch den Weinzauber vollführt, was nun Mephisto tut. Jetzt findet Faust nach der ersten Begrüßung: «Seid uns gegrüßt, ihr Herrn», nur noch angewidert die Worte: «Ich hätte Lust, nun abzufahren.» Das stand im «Urfaust» noch nicht. Diese Szene in «Auerbachs Keller» kann keine Gefahr für Faust bedeuten. Sie kann nur die Plattform sein, die platteste Form, von der aus ein Aufstieg beginnen wird. Der erste Versuch Mephistos ist abgeschlagen.

In der Hexenküche aber wird Faust durch den Zaubertrank der Hexe verjüngt und durch das Bild Helenas im Zauberspiegel hingerissen. In diesem brünstigen Zustand begegnet er Gretchen, und die ganze Zauberkraft der ersten Liebe packt ihn. Wird er zu diesem schönen Augenblicke sagen: «Verweile doch»?

Faust zu Gretchen:
O schaudre nicht! Laß diesen Blick,
Laß diesen Händedruck dir sagen,
Was unaussprechlich ist:
Sich hinzugeben ganz und eine Wonne
Zu fühlen, die ewig sein muß!
Ewig! – Ihr Ende würde Verzweiflung sein.
Nein, kein Ende! Kein Ende!

In diesem Augenblick brauchte Mephisto nur zuzugreifen, denn er hätte seine Wette gewonnen. Aber diese Worte stehen schon im «Urfaust» und «Fragment», da es die Wette noch gar nicht gab, und sind im ersten Teil nur stehen geblieben.

Dies ist einer der häufigen Widersprüche, die sich aus der *Entstehungsgeschichte* des «Faust» erklären lassen. Je mehr aber die Liebe zu Gretchen sich aus Sinnentaumel zu reinerer und geistigerer Liebe läutert und die Schuld Fausts an ihr, am Tode ihrer Mutter und ihres Bruders sein Gewissen weckt und peinigt, um so mehr muß Mephisto, der diese Entwicklung nicht voraussah, versuchen, ihn Gretchen vergessen zu lassen. Denn er sieht, daß Faust so nicht zu gewinnen ist. Er führt ihn also in die Walpurgisnacht, wo Teufel und Hexen zu einer dämonischen Orgie, zu einem Sinnenfest sich zusammenfinden. Hier soll Faust die Erinnerung an Gretchen verlieren. Aber was der Wein in «Auerbachs Keller» nicht vermochte, vermag auch der erotische Rausch der Walpurgisnacht nicht, und im höchsten Augenblick der Gefahr, da Faust der sinnlichen Versuchung durch die junge Hexe zu erliegen droht, da spiegelt sein quälendes Gewissen ihm die Vision des armen Gretchens vor:

> Mephisto, siehst du dort
> Ein blasses, schönes Kind allein und ferne stehen?
> Sie schiebt sich langsam nur vom Ort,
> Sie scheint mit geschloßnen Füßen zu gehen.
> Ich muß bekennen, daß mir deucht,
> Daß sie dem guten Gretchen gleicht.
> ...
> Fürwahr, es sind die Augen eines Toten,
> Die eine liebende Hand nicht schloß.
> Das ist die Brust, die Gretchen mir geboten,
> Das ist der süße Leib, den ich genoß.
> ...
> Welch eine Wonne! welch ein Leiden!
> Ich kann von diesem Blick nicht scheiden.

Um ihn zu zerstreuen, führt Mephisto ihn in ein Theater, das Brockentheater, wo ein «Walpurgisnachtstraum oder Oberons und Titanias goldne Hochzeit» gespielt wird. Faust also wird hier zum Zuschauer einer literarischen Satire auf die deutsche Literatur des 18. Jahrhunderts. Denn nichts anderes ist dieses Theaterstück, das ursprünglich ganz unabhängig vom «Faust» als selbständiges Werklein in der Zeit der Freundschaft mit Schiller 1797 gedichtet wurde. Aber warum ist es dann an das Ende der Walpurgisnacht gestellt worden? Offenbar: Goethe konnte in dieser niedrigen Sphäre entgeisteter, häßlichster Sinnlichkeit nicht schließen. Er mußte sich und seinen Faust in heitere, geistigere Luft erheben, in den Raum der Kunst, und da natürlich auf dem Blocksberg, in der Walpurgisnacht, kein reines, hohes, klassisches Kunstwerk, keine «Iphigenie» aufgeführt werden konnte, sondern nur ein parodisch-ironisch-satirisches, eines, das gleichsam aus mephistophelischem Geiste geboren ist, darum hat Goethe dieses literarische Satyrspiel ans Ende der Walpurgisnacht gestellt, in welchem er sich alles, was er gegen die Literatur seiner Zeit auf dem Herzen hatte, vom Herzen schrieb und so einen literarisch-geistigen Blocksberg errichtete. Man kann freilich nicht glauben, daß Goethe die Absicht hatte, Faust vor diesem Spiel ein «Verweile doch» zu entlocken oder ihn von Gretchen abzulenken. Auch wir wollen hier bei dieser literarischen Satire nicht verweilen. Diese nordische Walpurgisnacht wurde überhaupt nicht so ausgeführt, wie sie geplant war und wie sie hätte ausgeführt werden müssen. Aus den «Paralipomena», den Entwürfen und Skizzen zum «Faust» geht hervor, daß diese Szene in einem großen Satanskult endigen sollte. Teufel und Hexen sollten dem Satan auf eine aus Anstandsgründen hier nicht näher zu bezeichnende Weise huldigen. Satan sollte eine große Rede an sein Volk halten, in welcher er den Sinn der Welt und des Lebens im Besitz des Goldes und im geschlechtlichen Genuß offenbaren sollte. Das alles aber wurde nicht ausgeführt, obwohl die künstlerische Intention es gefordert hätte. Denn diese Szene sollte der Gegenpol zum «Prolog im Himmel», zur Anbetung Gottes durch die Engel werden. Aber es war Goethe damals nicht mehr möglich, sich so der Gestaltung krassester, rohester Häßlichkeit hinzugeben. Er konnte sie entwerfen, skizzieren, aber nicht ausführen. Sein «Faust» war ihm damals, nach seiner italienischen Reise, ohnehin zu nordisch-barbarisch geworden. Er ersetzte daher den geplanten Satanskultus durch die mephistophelische Satire des Walpurgisnachtstraumes, die heute kaum noch jemanden, wenn nicht den gelehrten Kenner, interessieren wird. Jedenfalls: Faust kann von diesem Theaterstück nicht zu einem «Verweile doch, du bist so schön» verführt werden.

Der Schluß des ersten Teils der Tragödie, da Faust vergeblich Gretchen aus dem Kerker zu befreien versucht und in völliger Verzweiflung von Mephisto fortgeschleppt wird, zeigt ihn dann so weit wie möglich von jenem ersehnten Augenblick der Erfüllung entfernt. Ein zweiter Teil der Tragödie erwies sich als notwendig, um Faust auf dem Wege zu einer höheren und höchsten Stufe seines Entwicklungsganges zu zeigen.

Aber schon der erste Teil, der, wie wir sahen, Mephistos wiederholten, aber immer vergeblichen Versuch darstellt, Faust auf seinem Wege mit herabzuziehen und sein hohes Streben zum Erlöschen zu bringen, läßt das Gegenmotiv zu diesen mephistophelischen Versuchen aufklingen. Es wird zu einem Leitmotiv. Der Ruf zur *Tat* ertönt bald am Anfang der Tragödie mit der Stimme des Erdgeistes, der von Faust beschworen wird. Der Erdgeist wird von Goethe selbst einmal als «Welt- und Tatengenius» bezeichnet[27]. Er ist die schaffende Kraft der ewigen Natur, welche die ewige Verjüngung und Erneuerung allen Lebens bewirkt. Er ist aber auch die schaffende Kraft der Geschichte, die den Menschen zur Tat entzündet:

In Lebensfluten, im Tatensturm
Wall' ich auf und ab,
Webe hin und her!
Geburt und Grab,
Ein ewiges Meer,
Ein wechselnd Weben,
Ein glühend Leben,
So schaff' ich am sausenden Webstuhl der Zeit
Und wirke der Gottheit lebendiges Kleid.

Faust beschwört diesen Geist der Erde, dem er sich nahe fühlt,
ihm zu erscheinen, damit er seine Stimme höre und sein Antlitz sehe, und der Geist erscheint ihm auch wirklich in der
Flamme. Faust aber kann das «schreckliche Gesicht» nicht
ertragen, wendet sich ab und stürzt zusammen. «Du gleichst
dem Geist, den du begreiffst, nicht mir!» so ruft ihm der Geist
zu und verschwindet. Faust: «Nicht dir? Wem denn? Ich
Ebenbild der Gottheit! Und nicht einmal dir!» Faust gleicht
diesem Geiste nicht, *noch* nicht, begreift ihn nicht, weil er
selbst nicht ein Tatengenius ist, sondern nur erkennend und
wissend alles verstehen will. Darum bricht er vor diesem
schrecklichen Anblick zusammen.

Der Ruf zur Tat aber wird von anderen Stimmen aufgenommen. Er ist ein Leitmotiv, das den ersten Teil der Tragödie durchklingt. Die Chöre des Osterfestes rufen es Faust zu:

Christ ist erstanden,
Aus der Verwesung Schoß;
Reißet von Banden
Freudig euch los!
Tätig ihn preisenden,
Liebe beweisenden,
Brüderlich speisenden,
Predigend reisenden,

Wonne verheißenden
Euch ist der Meister nah.
Euch ist er da!

Die auferstehende Natur, der Frühling, der die Starrheit des winterlichen Eises schmilzt und neues, junges Leben weckt, ruft es Faust auf seinem Osterspaziergang zu. Ja, als Faust in seinem Studierzimmer an die Übersetzung der Bibel (in sein geliebtes Deutsch) geht, da übersetzt er den Anfang des Johannesevangeliums: «Im Anfang war das *Wort!*» verbessert aber gleich:

Hier stock' ich schon! Wer hilft mir weiter fort?
Ich kann das *Wort* so hoch unmöglich schätzen,
Ich muß es anders übersetzen,
Wenn ich vom Geiste recht erleuchtet bin.
Geschrieben steht: Im Anfang war der *Sinn.*
Bedenke wohl die erste Zeile,
Daß deine Feder sich nicht übereile!
Ist es der *Sinn,* der alles wirkt und schafft?
Es sollte stehn: Im Anfang war die *Kraft!*
Doch, auch indem ich dieses niederschreibe,
Schon warnt mich was, daß ich dabei nicht bleibe.
Mir hilft der Geist! Auf einmal seh' ich Rat
Und schreibe getrost: Im Anfang war die *Tat!*

Im zweiten Teil der Tragödie wird es sich dann zeigen, daß Faust selbst, dem Erdgeist gleich, ein Tatengenius wird: als er nämlich dem unfruchtbaren Meere für Millionen Menschen Siedlungsland abgewinnt, Kanäle, Dämme baut, Flotten ausrüstet, Sümpfe trocknet.

Faust:
Ein Sumpf zieht am Gebirge hin,
Verpestet alles schon Errungene;

Den faulen Pfuhl auch abzuziehn,
Das Letzte wär' das Höchsterrungene.
Eröffn' ich Räume vielen Millionen,
Nicht sicher zwar, doch tätig-frei zu wohnen.
Grün das Gefilde, fruchtbar; Mensch und Herde
Sogleich behaglich auf der neusten Erde,
Gleich angesiedelt an des Hügels Kraft,
Den aufgewälzt kühn-emsige Völkerschaft.
Im Innern hier ein paradiesisch Land,
Da rase draußen Flut bis auf zum Rand,
Und wie sie nascht, gewaltsam einzuschließen,
Gemeindrang eilt, die Lücke zu verschließen.
Ja! diesem Sinne bin ich ganz ergeben,
Das ist der Weisheit letzter Schluß:
Nur der verdient sich Freiheit wie das Leben,
Der täglich sie erobern muß.
Und so verbringt, umrungen von Gefahr,
Hier Kindheit, Mann und Greis sein tüchtig Jahr.
Solch ein Gewimmel möcht' ich sehn,
Auf freiem Grund mit freiem Volke stehn.
Zum Augenblicke dürft' ich sagen:
Verweile doch, du bist so schön!
Es kann die Spur von meinen Erdetagen
Nicht in Äonen untergehn. –
Im Vorgefühl von solchem hohen Glück
Genieß' ich jetzt den höchsten Augenblick.

Solch eine Vision, wie sie am Ende von Fausts irdischem Leben
steht, kann selbst eine *Tat Goethes* genannt werden, wie denn
überhaupt Goethes ganzes Leben und Wirken, dies unendlich
tätige, niemals rastende, ihn als einen Tatengenius erscheinen
läßt. Er selbst hat einmal vorgeschlagen, bei einer Aufführung
des «Faust» auf dem Theater den Erdgeist mit dem Antlitz des

Zeus von Otriculi darzustellen. Als man ihm aber bei einer Aufführung in Berlin Goethes eigene Züge lieh, Goethes Antlitz in Flammen erscheinen ließ, fühlte er sich «sehr geschmeichelt»[28].

Von der Erscheinung des Erdgeistes am Anfang des ersten Teils zu der letzten Vision Fausts am Ende des zweiten Teils wölbt sich ein gewaltiger Bogen, und ich habe nun den zweiten Teil zu deuten. Ich bin mir dabei bewußt, welch schwere Aufgabe damit zu erfüllen ist.

Zunächst: Was hat Goethe dazu gebracht, an die Fortsetzung und Vollendung des «Faust» in einem zweiten Teil zu gehen, was seit 1825, also 17 Jahre nach dem Erscheinen des ersten Teils geschah?

Sicherlich hat die innere Notwendigkeit des Künstlers, der in ihm wirkende Dämon, der schöpferische Drang ihn getrieben, ein Werk, das so gewaltig angelegt war, nicht unvollendet zu lassen, sondern zu einer Ganzheit zu runden und damit zur Wirklichkeit werden zu lassen, was von Anfang an schon als eine Ganzheit vor seiner Seele stand. Denn man weiß aus vielen Zeugnissen Goethes, daß der «Faust» schon in der Urkonzeption keineswegs mit dem Ende der Gretchentragödie schließen sollte, sondern daß gleich von Anfang an schon der zweite Teil, natürlich anders, als er dann am Ende ausgeführt wurde, im Plane vorgesehen und innerlich vorgestellt wurde. Wir wissen auch, daß es besonders die Gestalt der Helena war, die ihn schon damals in seiner Jugend beschäftigte. Wir besitzen auch eine Skizze davon, wie die Urgestalt der Helena gedacht war. Auch trug sich Goethe eine Zeit lang mit der Idee, den ersten Teil mit einem Nachspiel, nämlich Fausts und Helenas Vermählung, enden zu lassen und damit seine Arbeit am «Faust» überhaupt zu beschließen. Dieser Bund des faustischen Geistes mit der antiken Form war ja wirklich die letzte Stufe, die Goethe selbst damals – um 1800 – in seiner eigenen Entwicklung erreicht hatte. Wenn nun Faust im zweiten Teil auch über diese Stufe seines Weges noch hinaus zu einer höheren Stufe steigt, der Stufe der Tat, und wenn dieser weitere Aufstieg, wie wir noch sehen werden, durch den Sohn von Faust und Helena, Euphorion, veranlaßt wird, so können wir jetzt bereits ahnen, daß Byron, der englische Dichter, es besonders war, der ihn zu der Fortsetzung des «Faust» bewegte, in welcher er, mit der Gestalt Euphorions, Byron ein Denkmal der Liebe setzte. Auch Napoleon, der als Tatengenius der neuen Zeit an der Wiege der europäischen Umwälzung stand, hat an der Wiege des zweiten Teiles «Faust» gestanden. Und endlich ist Johann Peter Eckermanns zu gedenken, welcher der Menschheit eines der tiefsten und schönsten Bücher der Weltliteratur geschenkt hat: seine Gespräche mit Goethe. Es ist ein wahrhaft ergreifendes Schauspiel, zu sehen wie dieser junge Mensch, ganz aufgehend im Dienste Goethes, nicht nur äußerlich durch die Ordnung und Redigierung seiner Manuskripte, sondern auch selber mahnend, ja auch taktvoll ratend Goethe immer wieder, wenn die übergewaltige Aufgabe ihn schreckte, zur Arbeit am «Faust» ermutigte. Besonders aber war es das hingebende Verstehen dieses an sich gar nicht schöpferischen Menschen, der gewiß kein großer Dichter und kein Tatengenius war, aber ein Genie des Sich-hingeben-Könnens, Aufnehmens und Verstehens, was Goethe zur Vollendung des «Faust» geholfen hat. Hier hatte der alte Goethe die Möglichkeit, einem jungen Menschen seine Ideen und Absichten zu entwickeln und sie wie Samen in ein fruchtbares Erdreich zu legen. In stetigen Gesprächen mit Eckermann ist der zweite Teil des «Faust» vollendet worden, und Goethe stattete Eckermann seinen Dank mit diesen Worten ab: «Sie können es sich zurechnen, wenn ich den zweyten Theil des *Faust* zu Stande bringe. Ich habe es Ihnen schon oft gesagt, aber ich muß es wiederholen, damit Sie es wissen[29].» Was wir Eckermann verdanken, ist nicht nur dies, daß er so zur Vollendung des «Faust» geholfen hat. Es ist noch mehr. Denn wir verdanken seinen Aufzeichnungen aus Goethes Mund, daß wir den zweiten Teil des «Faust» besser verstehen können. Leider ist nicht alles, was Goethe über den «Faust» zu Eckermann sprach, in das Gesprächsbuch eingegangen. Eckermann hatte die Absicht, den drei Bänden des Buches noch einen vierten beizufügen, der nur Gespräche über den zweiten Teil des «Faust» enthalten sollte. Er ist nicht erschienen, und auch das Material dazu ist bisher nicht zum Vorschein gekommen. Aber in den erschienenen Bänden steht schon ein reicher Schatz von Goethes eigenen Deutungen, die uns das Verständnis des zweiten Teils oft erleichtern.

Man ist in weiten Kreisen der Meinung, der zweite Teil des «Faust» sei völlig unverständlich. Darum legt man das Buch nach einem kurzen Versuch zurück, und wenn der wissenschaftliche Darsteller und Deuter wohl mit der allgemeinen Kenntnis des ersten Teiles rechnen kann, so nicht mit der des zweiten. Das aber erschwert die Aufgabe der Deutung sehr. Denn grade in diesem Fall ist der Interpret auf die Mitarbeit der Leser angewiesen und muß sie also sehr ernstlich bitten, den zweiten Teil des «Faust» zu lesen, und wenn sie es früher schon einmal taten, es noch einmal zu tun. Es gibt aber auch Leser des zweiten Teils, die sich wohl tief in ihn versenken, aber es darum tun, weil sie ihn für ein Zauberbuch halten, eine Art von okkultem, magischem Buch, das ihnen alle Geheimnisse der Welt enthüllen soll, wenn sie den Schlüssel finden. Auch zu diesen Lesern zu sprechen, ist nicht leicht. Denn man wird und muß sie enttäuschen. Der zweite Teil des «Faust» ist kein Zauberbuch, und sein Verständnis wird sehr erschwert, wenn man zuviel in ihm sucht und hinter ihm sucht, besonders hinter ihm. Was man schon alles in diesen zweiten Teil hineingeheimnist und dann herausgedeutet hat, das geht über jede Vorstellung. Aber der «Faust» ist schließlich eine Dichtung, die gewiß voll tiefer Weisheit ist, aber doch eine Dichtung, und man verbaut sich von vornherein den Zugang zu ihr, wenn man sie als ein Mysterium ansieht, das einer besonderen Einweihung bedarf. Die Weihe, deren der Leser und Deuter bedarf, ist ein offener Sinn und ein klarer, unvernebelter Geist. Wo wirklich der Weg ins Dunkel führt, wird man sich dankbar jener Lichter bedienen, die Goethe selbst seinem Eckermann aufgesteckt hat, und anderer Lichter, die in Briefen und Gesprächen Goethes und in seinen Plänen und Entwürfen zum «Faust» zu finden sind. Man wird auch die naturphilosophischen Schriften Goethes heranziehen müssen, die viel Erleuchtung bringen. Aber die erste und wesentlichste Quelle bleibt doch die Faustdichtung selbst. Daß manche Stellen sich trotz alledem dem Verständnis entziehen und sich nur dem gelehrten Fachmann offenbaren, das kommt daher, daß Goethe mit Anspielungen auf Werke, Ideen und Gestalten seiner Zeit nicht gespart hat. Er hat sich im «Faust» viel vom Herzen geschrieben, was er gegen seine Zeit auf dem Herzen hatte. Über diese Stellen muß natürlich die Wissenschaft hinweghelfen. Aber man vergesse doch nicht, daß sie nur die zeitlich bedingten und vergänglichen sind, und daß man den zeitlosen und unvergänglichen Gehalt der Dichtung, auf den es doch schließlich ankommt, durchaus verstehen kann.

Dies alles also sage ich zu denen, welche von vornherein am Verständnis des zweiten Teiles «Faust» verzweifeln, und zu denen, welche den Schlüssel zu allen Geheimnissen darin finden wollen. Ein Wort muß endlich noch zu den Tadlern und Verächtern des zweiten Teils gesagt werden, deren es viele gab und noch gibt, wenn es auch weit weniger geworden sind und man feststellen darf, daß die Würdigung des zweiten Teiles in den letzten Jahrzehnten ganz bedeutende Fortschritte gemacht hat. Aber man muß immer noch Stimmen hören, die den ersten Teil des «Faust» für ein Werk von unvergänglicher Schönheit erklären, den zweiten Teil aber ein Produkt des Niedergangs und der nachlassenden und abgeschwächten Kraft eines Greises nennen, der die Klarheit des Geistes und die Gestaltungsfähigkeit der bildenden Hand verlor und daher statt der Klarheit des ersten Teiles sich der Geheimnistuerei und dunkler Mystik hingab und statt der lebendigen und bluterfüllten Gestalten des ersten Teils nun leblose, abstrakte Allegorien bringe. Man kann in Wahrheit nicht törichter und verständnisloser sprechen. Ich kann und will natürlich nicht verlangen, daß jeder, wie ich selbst es tue, den zweiten Teil weit über den ersten stellt. Aber es ist ganz unerträglich, von Verfall und Schwachheit zu hören, wo grade ein einsam ragender Gipfel der Dichtkunst erstiegen wurde. Daß der zweite Teil in seinem Geist und Stil ganz anders ist als der erste, muß gewiß jeder bemerken. Doch wie kann es auch anders sein. Die Jugend ist eben nicht dem Alter gleich. Aber wie die Jugend ihr eigenes Maß besitzt, so besitzt es auch, was man nicht vergessen möge, das Alter, und man darf es nicht mit dem Maße der Jugend messen, so wenig wie man die Jugend mit dem Maße des Alters messen darf. Gewiß ist der zweite Teil des «Faust» ein Alterswerk. Als Goethe ihn auszuführen begann, war er sechsundsiebzig Jahre alt, als er ihn abschloß, zweiundachtzig. Aber man darf dies ebensowenig als eine Erklärung oder im besten Fall eine Entschuldigung für den niederen Wert, wie man meint, heranziehen, als man sagen dürfte, es sei erstaunlich, daß Goethe trotz dieses hohen Alters ein solches Werk habe zustande bringen können. Es ist nicht *trotz* des Goetheschen Alters so geworden, wie es ist, sondern es ist der hohe Ausdruck seines hohen Alters, so wie die letzten Bilder eines Tizian oder Rembrandt solche hohen Alterswerke sind. Man kann geradezu von einer Gattung in der Kunst: der Gattung der Alterswerke sprechen, und die von Goethe, Tizian und Rembrandt haben alle eine gewisse Ähnlichkeit. Es ist das Verglühen der leiblich-sinnlichen, vergänglichen Erscheinung, die im Verglühen ihrer Leiblichkeit den reinen, hüllenlosen Geist durchleuchten läßt, so daß die Erscheinung selbst nur noch zum Gleichnis wird. «Alles Vergängliche / Ist nur ein Gleichnis», so beginnt der Schlußchor des zweiten Teiles «Faust». Solch ein Alterswerk zeigt gewiß nicht mehr die volle Harmonie von Geist und Form, von Idee und Erscheinung. Aber diese Ekstasis des Geistes aus der sinnlichen Erscheinung, diese Transparentwerdung ist nicht Verfall und Mangel an Gestaltungskraft, sondern der Durchbruch einer schon in höhere Regionen aufsteigenden Geisteskraft. Es ist gewiß richtig, daß die Gestalten im ersten Teil des «Faust» lebendiger, blutvoller sind als die des zweiten Teiles. Aber diese sollten und wollten eben anders sein und dessen war sich Goethe ganz bewußt. «Im Greisenalter», sagte Goethe einmal, «werden wir Mystiker[30].» Von dem zweiten Teil des «Faust» aber sagte er: «Die Behandlung mußte aus dem Spezifischen mehr in das Generische gehen. Denn Spezifikation und Varietät gehören der Jugend an. Tizian, der große Kolorist, malte im hohen Alter diejenigen Stoffe, die er früher so konkret nachzuahmen gewußt hatte, auch nur in abstracto, zum Beispiel den Samt nur als Idee davon[31].»

Es ist dem hohen Alter eigen, daß es von der einzelnen, einmaligen, vergänglichen Erscheinung nicht mehr so angezogen wird, sondern daß sein geistiger Blick sich auf das ewige und allgemeine Wesen der Dinge und der Menschen richtet. Man darf darum auch von den allegorischen Gestalten des zweiten Teils nicht sagen, daß sie die Zeichen der abnehmenden Bildnerkraft des alten Goethe seien. Die Mütter, die vier grauen Weiber, die Sorge unter ihnen, Homunculus: es sind im letzten Grunde kaum noch Allegorien zu nennen. Ich nenne sie vielmehr mit dem Goetheschen Ausdruck: Urphänomene, die aus der Welt der Phänomene herausgetreten sind. Goethe nannte einmal das Alter ein stufenweises Zurücktreten aus der Erscheinung[32]. So treten auch im zweiten Teil des «Faust» die Urphänomene oder Urbilder aus der Erscheinung heraus. Der alte Goethe machte den heroisch-prophetischen Versuch, die urphänomenale Welt in ihrer Entbundenheit, die Urbilder ohne Bildlichkeit vor das Auge des Geistes zu beschwören. Gretchen etwa im ersten Teil ist eine lebendig-bildliche Gestalt. Am Ende des zweiten Teiles ist sie das Urphänomen der Liebe, das Urbild des Ewig-Weiblichen geworden, das uns hinanzieht. Das scheint mir nun die organischste Entwicklung eines Dichters zu sein, wenn er sich in seiner Jugend mit klammernden Organen an die Welt der Erscheinung hält, in seiner reifen Manneszeit die völlige Einheit von Idee und Erscheinung, Urbild und Bild gestaltet – wie es etwa die Iphigenie zeigt –, um endlich in seinem Alter, da er stufenweise aus der Erscheinung zurücktrat, die Urphänomene selbst zu enthüllen. Es sind nicht abstrakte Verstandesbegriffe, sondern die geistigen Mächte, die der alte Goethe mit seinem geistigen Auge erschaute, wie sie das Leben gebären und zerstören, wie sie in der Natur und in der menschlichen Gesellschaft wirken. Das leibliche Auge kann sie nicht erblicken. Aber das Auge des Geistes vermag es. Geistige Schau: dies macht das Wesen des zweiten Teiles «Faust» aus. Daß solche Dichtungen immer und trotz aller noch so tiefdringenden Deutung einen letzten Rest von nicht aufzulösendem Geheimnis in sich tragen werden, ist selbstverständlich, und niemand wußte das besser als Goethe selbst, dem selber ganz gewiß dieses letzte Geheimnis ein unauflösliches blieb. Der Geist kann etwas erschauen und braucht es darum noch lange nicht zu begreifen. Aber grade darum, sagte Goethe einmal, wird der «Faust», gleich einem unaufgelösten Problem, die Menschen zu wiederholter Betrachtung immer wieder anlocken[33].

Bevor noch Goethe den ersten Teil des «Faust» vollendet hatte, dichtete er bereits einen Epilog, mit dem er vom ersten Teil und von seinem Publikum Abschied nahm. Es ist das Gegenstück zum «Prolog»: «Ihr naht euch wieder, schwankende Gestalten.»

Abschied

Am Ende bin ich nun des Trauerspieles
Das ich zuletzt mit Bangigkeit vollführt,
Nicht mehr vom Drange menschlichen Gewühles,
Nicht von der Macht der Dunkelheit gerührt.
Wer schildert gern den Wirrwar des Gefühles,
Wenn ihn der Weg zur Klarheit aufgeführt?
Und so geschlossen sei der Barbareien
Beschränkter Kreis mit seinen Zaubereien.

Und hinterwärts mit allen guten Schatten
Sey auch hinfort der böse Geist gebannt,
Mit dem so gern sich Jugendträume gatten,
Den ich so früh als Freund und Feind gekannt!
Leb alles wohl, was wir hiemit bestatten,
Nach Osten sei der sichre Blick gewandt.
Begünstige die Muse jedes Streben,
Und Lieb und Freundschaft würdige das Leben.

Denn immer halt ich mich an Eurer Seite,
Ihr Freunde, die das Leben mir gesellt;
Ihr fühlt mit mir was Einigkeit bedeute,
Sie schafft aus kleinen Kreisen Welt in Welt.
Wir fragen nicht in eigensinn'gem Streite
Was dieser schilt, was jenem nur gefällt,
Wir ehren froh mit immer gleichem Muthe
Das Alterthum und jedes neue Gute.

O glücklich! wen die holde Kunst in Frieden
Mit jedem Frühling lockt auf neue Flur;
Vergnügt mit dem was ihm ein Gott beschieden
Zeigt ihm die Welt des eignen Geistes Spur.
Kein Hinderniß vermag ihn zu ermüden,
Er schreite fort, so will es die Natur.
Und wie des wilden Jägers braus't von oben
Des Zeiten Geists gewaltig freches Toben.

Noch einmal hören wir in diesen Versen, was Goethe an Hemmungen und Widerständen zu überwinden hatte, um diesen
ersten Teil des «Faust» zu vollenden. Der Dichter, den der
Weg zur Klarheit aufgeführt hat, war von der Macht der Dunkelheit nicht mehr gerührt, und so erklärt er seine Beschäftigung mit nordischen Barbareien und Zaubereien für abgeschlossen. Hatte er im «Prolog» der schmerzlichen Erinnerung an erste Liebe und Freundschaft Ausdruck gegeben, die,
hinweggeschwunden, sein Lied nicht mehr hören konnte, so
wendet er sich jetzt mit Entschiedenheit der Zukunft zu, da er
von neuer Liebe und Freundschaft begleitet zu neuen dichterischen Taten fortzuschreiten entschlossen ist.

Als er dann doch an die Ausarbeitung des zweiten Teiles
«Faust» ging, konnte die nordische Barbarei, der Drang
menschlichen Gewühles und die Macht der Dunkelheit in der
faustischen Welt ihm kein Hindernis mehr bedeuten, denn
diese Welt, mit der er es nun zu tun hatte, sah anders aus als
im ersten Teil. Er hatte seinen Faust jetzt in die große Welt zu
führen; nicht mehr in Auerbachs Keller, die Hexenküche, die
romantische Walpurgisnacht auf dem Brocken und in Gretchens Kerker, sondern an einen Kaiserhof, einen antiken Kö-
nigspalast, in die *klassische* Walpurgisnacht und am Ende in
den christlichen Himmel. Faust selbst ist im zweiten Teil ein
Gewandelter und Gehobener. Wie steht er doch gleich am

Anfang anders da: «Er wacht auf, fühlt sich gestärkt, verschwunden alle vorhergehende Abhängigkeit von Sinnlichkeit und Leidenschaft. Der Geist, gereinigt und frisch, nach dem höchsten strebend.» So steht in einer Skizze zum zweiten Teil[34]. «Es gibt», sagte Goethe einmal im Gespräch[35], «noch manche herrliche, reale und phantastische Irrtümer auf Erden, in welchen der arme Mensch sich edler, würdiger, höher, als im ersten gemeinen Teile geschieht, verlieren dürfte.» In dem ersten Entwurf zu «Helena, klassisch-romantische Phantasmagorie» heißt es: dem alten Puppenspiel gemäß, sollte die Verwegenheit Fausts dargestellt werden, womit er die schöne Helena aus Griechenland in die Arme begehrt. «Dieses war nun nicht durch Blocksbergs Genossen, ebensowenig durch die häßliche, nordischen Hexen und Vampyren nahverwandte Ennyo zu erreichen, sondern, wie in dem zweiten Theile alles auf einer höhern und edlern Stufe gefunden wird, in den Bergklüften Thessaliens unmittelbar bey dämonischen Sibyllen zu suchen, welche durch merkwürdige Verhandlungen es zuletzt dahin vermittelten, daß Persephone der Helena erlaubte, wieder in die Wirklichkeit zu treten.» In einem zweiten Entwurf zur «Helena, Zwischenspiel zu Faust» spricht Goethe von dem so naheliegenden Gedanken, «es müsse die Bearbeitung eines zweyten Theils sich nothwendig aus der bisherigen kümmerlichen Sphäre ganz erheben und einen solchen Mann» – wie Faust – «in höheren Regionen, durch würdigere Verhältnisse durchführen.» Immer wieder nennt Goethe die Gestalten und Verhältnisse des zweiten Teils, mit denen er es nun zu tun hat, höher, größer, würdiger und edler als die des ersten Teils.

Wenn man das Ende des ersten Teils mit dem Anfang des zweiten vergleicht, so sieht man denn auch sofort, daß sich dazwischen eine wahre Kluft auftut, daß man es wirklich mit einer Art von Neubeginn zu tun hat. Das Ende des ersten Teiles: Kerker, Gretchen auf faules Stroh gebettet. Der Beginn des zweiten Teiles: «Anmutige Gegend. Faust auf blumigen Rasen gebettet», Das Ende des ersten Teiles: Mephistos «Her zu mir!» und Gretchens Ruf: «Heinrich! Heinrich!» Der Beginn des zweiten Teiles: «Geisterkreis schwebend bewegt, anmutige kleine Gestalten.» Ariels «Gesang, von Äolsharfen begleitet». Das Ende des ersten Teils: Fausts geistiger Tod. Der Beginn des zweiten Teiles: Fausts Wiedergeburt zu neuem und höherem Leben. Das Ende des ersten Teiles: wilde, nordisch freie Rhythmen. Der Beginn des zweiten Teiles: südlich schöne Formen.

Aber was ist zwischen den beiden Teilen in Goethe selbst geschehen, und was überhaupt hat Goethe dazu veranlaßt, an den zweiten Teil zu gehen, wie er es nach einer Pause von vielen Jahren, erst 1825 tat, wo wir doch sahen, daß er den ersten Teil nur in Überwindung innerlichster Widerstände und Hemmungen vollendet hatte und froh war, seinen «Faust» nun los zu sein.

Goethe hat, so glaube ich sagen zu können, den Anstoß zur Vollendung des zweiten Teiles «Faust» durch zwei europäische Gestalten und Ereignisse erhalten. Es waren Napoleon und Byron. In Byron trat ihm das Schauspiel vor Augen, wie ein großer Dichter – Goethe nannte ihn den größten seiner Zeit – an der Dichtung zu zweifeln begann und sich in einen Täter wandelte, der Europa tief erregte und im Kampf um die Befreiung Griechenlands seinen Tod fand (1824). Vorher schon war Napoleon gestorben, der an allen Grundfesten Europas gerüttelt hatte. Byron und Napoleon waren die Repräsentanten einer europäischen Umwälzung und eines neuen, heroischen Menschentums. Sie beide haben Goethe tief erschüttert. Er hat ihnen beiden mit seinem Euphorion, dem Sohne Fausts und Helenas, ein Denkmal gesetzt. Aber ich möchte über Byron und Napoleon erst im Zusammenhang mit Euphorion ausführlicher sprechen, denn die Wandlung Fausts, die auf

Byron und Napoleon hindeutet, erfolgt erst – nach Euphorions Tod – im vierten Akt, dem aber noch viel vorausgeht.

«Hier also der Anfang!» sagte Goethe zu Eckermann[36], als er ihn mit den Elfengesängen Ariels und seiner Chöre bekannt machte. «Da Sie mich kennen, so werden Sie nicht überrascht sein, ganz in meiner bisherigen milden Art! es ist, als wäre alles in dem Mantel der Versöhnung eingehüllt. Wenn man bedenkt, welche Greul beim Schluß des zweiten Akts auf Gretchen einstürmten und rückwirkend Fausts ganze Seele erschüttern mußten, so konnt' ich mir nicht anders helfen, als den Helden, wie ich's gethan, völlig zu paralisieren und als vernichtet zu betrachten, und aus solchem scheinbaren Tode ein neues Leben anzuzünden. Ich mußte hiebei eine Zuflucht zu wohlthätigen, mächtigen Geistern nehmen, wie sie uns in der Gestalt und im Wesen von Elfen überliefert sind. Es ist alles Mitleid und das tiefste Erbarmen. Da wird kein Gericht gehalten, und da ist keine Frage, ob er es verdient oder nicht verdient habe, wie es etwa von Menschen-Richtern geschehen könnte. Bei den Elfen kommen solche Dinge nicht in Erwägung. Ihnen ist es gleich, ob er ein Heiliger oder ein Böser, in Sünde Versunkener ist.»

Ungeheures Getöse verkündet das Herannahen der Sonne. Es ist das Symbol des neuen Tages, der für Faust geboren wird, und der erwachende Faust begrüßt den Sonnenaufgang in Terzinen:

Des Lebens Pulse schlagen frisch lebendig,
Ätherische Dämmerung milde zu begrüßen;
Du, Erde, warst auch diese Nacht beständig
Und atmest neu erquickt zu meinen Füßen,
Beginnest schon, mit Lust mich zu umgeben,
Du regst und rührst ein kräftiges Beschließen,
Zum höchsten Dasein immerfort zu streben. –

In Dämmerschein liegt schon die Welt erschlossen,
Der Wald ertönt von tausendstimmigem Leben,
Tal aus, Tal ein ist Nebelstreif ergossen;
Doch senkt sich Himmelsklarheit in die Tiefen,
Und Zweig und Äste, frisch erquickt, entsprossen
Dem duft'gen Abgrund, wo versenkt sie schliefen;
Auch Farb' an Farbe klärt sich los vom Grunde,
Wo Blum' und Blatt von Zitterperle triefen –
Ein Paradies wird um mich her die Runde.

Hinaufgeschaut! – Der Berge Gipfelriesen
Verkünden schon die feierlichste Stunde;
Sie dürfen früh des ewigen Lichts genießen,
Das später sich zu uns hernieder wendet.
Jetzt zu der Alpe grüngesenkten Wiesen
Wird neuer Glanz und Deutlichkeit gespendet,
Und stufenweis herab ist es gelungen; –
Sie tritt hervor! – und, leider schon geblendet,
Kehr' ich mich weg, vom Augenschmerz durchdrungen.

So ist es also, wenn ein sehnend Hoffen
Dem höchsten Wunsch sich traulich zugerungen,
Erfüllungspforten findet flügeloffen;
Nun aber bricht aus jenen ewigen Gründen
Ein Flammenübermaß, wir stehn betroffen;
Des Lebens Fackel wollten wir entzünden,
Ein Feuermeer umschlingt uns, welch ein Feuer!
Ist's Lieb'? ist's Haß? die glühend uns umwinden,
Mit Schmerz und Freuden wechselnd ungeheuer,
So daß wir wieder nach der Erde blicken,
Zu bergen uns in jugendlichstem Schleier.

So bleibe denn die Sonne mir im Rücken!
Der Wassersturz, das Felsenriff durchbrausend,
Ihn schau' ich an mit wachsendem Entzücken.

Von Sturz zu Sturzen wälzt er jetzt in tausend,
Dann abertausend Strömen sich ergießend,
Hoch in die Lüfte Schaum an Schäume sausend.
Allein wie herrlich, diesem Sturm entsprießend,
Wölbt sich des bunten Bogens Wechseldauer,
Bald rein gezeichnet, bald in Luft zerfließend,
Umher verbreitend duftig kühle Schauer.
Der spiegelt ab das menschliche Bestreben.
Ihm sinne nach, und du begreifst genauer:
Am farbigen Abglanz haben wir das Leben.

In diesem Monolog (in welchem Goethe übrigens Erinnerungen und Eindrücke seiner Schweizer Reise vom Vierwaldstättersee und dem Rheinfall von Schaffhausen gestaltet hat) vollzieht sich also die erste Entsagung Fausts. Er war im Anfang des ersten Teiles, als er, der stolze Übermensch, die flammende Erscheinung des Erdgeistes nicht zu ertragen vermochte, in ohnmächtiger Verzweiflung zusammengebrochen. Als er jetzt im Anfang des zweiten Teiles vom Flammenübermaß des Sonnenlichtes geblendet, von Augenschmerz durchdrungen sich abwenden muß, bricht er nicht mehr zusammen, sondern richtet den Blick zur Erde, und da er schaut, wie das Sonnenlicht im Wassersturz als farbiger Bogen erscheint, den das Auge ungeblendet zu betrachten vermag, da geht ihm die entsagende Erkenntnis auf: «Am farbigen Abglanz haben wir das Leben.» Er hatte im ersten Teil die Quellen des Lebens finden und ausschöpfen wollen. Jetzt findet er am farbigen Schein des Lebens sein Genügen. Er hatte einst das letzte Geheimnis der Natur ergründen wollen: «Wo faß' ich dich, unendliche Natur?» Jetzt kann er sie im schönen, farbigen Abglanz fassen. Er hatte einst mit taumelnden Sinnen und wilden Begierden genießen wollen. Jetzt ist er zu höherem Genuß herangereift: dem Genuß der Schönheit. Wir stehen vor der

Geburt der ästhetischen Weltanschauung, einem entscheidenden Schritt auf dem Wege Fausts, der ihn zu Helena führen wird. Er hat gelernt, die Schönheit der Natur zu erleben. Er, der auf dem Osterspaziergang im ersten Teil vom Anblick der *sinkenden* Sonne zu unendlicher Sehnsucht entzündet worden war: Daß zu den Flügeln des Geistes sich körperliche Flügel gesellen möchten, um ihr nach und immer nach zu streben, kann jetzt im Anblick der *aufgehenden* Sonne solcher Sehnsucht entsagen und ihren farbigen, schönen Schein ruhig und still betrachten.

Aber der Weg zu Helena ist noch weit. Denn noch haftet Faust am bloßen äußeren Schein, am farbigen Schein der Natur.

Noch im ersten Akte wird Faust von Mephisto an den Hof des Kaisers gebracht, damit er von dem festlich-schönen Schein der Menschenwelt, der menschlichen Gesellschaft so gefesselt werde, daß er zu diesem schönen Augenblicke sage: «Verweile doch». Faust, der im ersten Teil in einem engen, dumpfen, niedrigen Lebensraum stand, steht nun also in der weiten, lichten, hohen, großen Welt des Kaiserhofes. Er, der im ersten Teil in Einsamkeit und Ichversunkenheit nur an sich selber dachte, nimmt jetzt teil an dem Leben des Staates und der Gesellschaft. Er, der nach Erkenntnis der Wahrheit dürstete, lebt nun in der Welt des schönen Scheins und Spiels [37].

Damit diese Idee des Scheins und Spiels in der menschlichen Gesellschaft ganz sinnenfällig zur Erscheinung komme, darum ist der erste Akt des zweiten Teils von einem großen Mummenschanz am Hof des Kaisers ausgefüllt, einem Karnevalsfest, an dem ein allegorischer Maskenzug nach Art der Festspiele der italienischen Renaissance aufzieht. Diese Masken, die von der höfischen Gesellschaft dargestellt werden, offenbaren im farbig-bunten Schein das Wesen der Gesellschaft, das in ihrer Scheinhaftigkeit beruht. Das ist der Sinn des ganzen Maskenzugs. Gärtnerinnen und Gärtner bringen zuerst ihre Gaben, künstliche Blumen zum Schmuck und kostbare Früchte zum Genuß dar. Denn die Natur verliert, wenn sich die Gesellschaft ihrer bedient, ihren Charakter der Notwendigkeit und wird in ihrem Dienst zu Schmuck, Genuß und Spiel. Auch der Wein, wie der Trunkenbold zeigt, dient nicht nur zur Stillung des Durstes. Auch die Liebe, das zeigen nun die Gestalten der Mutter und Tochter, verwandelt sich in der Gesellschaft zu einem heiteren und galanten, ja frivolen Spiel. Auch die Dichtkunst wird nur als angenehm-täuschendes Spiel geduldet, und kein Dichter darf der Gesellschaft die Wahrheit sagen, die sie nicht hören will. Der Satiriker: «Wißt ihr, was mich Poeten / Erst recht erfreuen sollte? / Dürft' ich singen und reden, / Was niemand hören wollte.» / Nun folgen im Maskenzug die Grazien, die Anmut in das Leben bringen, die recht eigentlichen Göttinnen der Gesellschaft. Aber auch die Parzen, die den Lebensfaden spinnen und zerreißen, und selbst die Furien, die alle Schuld im Leben unerbittlich rächen, erscheinen hier im Maskenzug als hübsch und jung und wohlgestaltet und mahnen nur mit freundlichen Worten an den Ernst des Lebens, an den die Gesellschaft nicht eben gerne denken will. Sie nimmt das Leben leicht und findet seinen Sinn und Zweck nur im Genuß des schönen Augenblicks. Daher erscheinen denn auch Furcht und Hoffnung, diese größten Menschenfeinde, weil sie den Genuß des gegenwärtigen Augenblicks zerstören, von Klugheit in Fesseln gelegt und werden so unschädlich gemacht. Das Maß, das die Gesellschaft an den Menschen legt, mit dem sie seinen Wert, seine soziale Geltung bemißt, heißt: der Erfolg, der darum als Victoria im Maskenzug erscheint und von einem häßlichen Zwerg, Zoilo-Thersites, dem Neid, der Mißgunst bedrängt wird. Den Höhepunkt des ganzen Maskenzuges aber bildet Plutus, der Gott des Reichtums, dessen Drachengespann vom Knaben Wagenlenker, dem Sinnbild der Poesie, gelenkt wird, während hinter ihm in häßlich-magerer Gestalt Avaritia, der Geiz, gekauert sitzt. Plutus und Wagenlenker verteilen zauberische Gaben, scheinhaftes, gleißendes Flittergold, spukhafte Kostbarkeiten verschwenderisch an die gierige Menge der höfischen Zuschauer, die diesen gleißenden Schein für Wirklichkeit nehmen. Plutus und Knabe Wagenlenker, Reichtum und Poesie, sind verwandten Geistes, weswegen Plutus den Knaben als seinen Sohn, als Geist von seinem Geiste anspricht. Denn Reichtum und Poesie: sie beide dienen nicht dem notwendigen, nackten Lebensbedürfnis. Sie bedeuten vielmehr den materiellen und den geistigen Überfluß, die materielle und die geistige Verschwendung, den überfließenden, verschwenderischen Reichtum an Gold und Phantasie. In der Gesellschaft freilich hat von diesen Mächten nur Plutus, der Gott des materiellen Reichtums, Platz, die wahre Poesie gedeiht nur in der Einsamkeit, und darum wird sie von Plutus aus der Gesellschaft fortgeschickt. Wer aber verbirgt sich unter der Maske des Plutus? Faust. Unter der Maske der Avaritia? Mephisto. Unter der Maske des Knaben Wagenlenkers? Euphorion, der Sohn Fausts, der freilich damals noch gar nicht geboren war. Doch Goethe erklärt diese Seltsamkeit gegenüber Eckermann, der ihn fragte, wie Euphorion schon hier im Karneval erscheinen kann, da er doch erst im dritten Akt geboren wird? «‚Der Euphorion‘, antwortete Goethe, ‚ist kein menschliches, sondern nur ein allegorisches Wesen. Es ist in ihm die Poesie personifiziert, die an keine Zeit, an keinen Ort und an keine Person gebunden ist. Derselbige Geist, dem es später beliebt, Euphorion zu sein, erscheint jetzt als Knabe Lenker, und er ist darin den Gespenstern ähnlich, die überall gegenwärtig sein und zu jeder Stunde hervortreten können.‘[38]»

Eine Welt des Scheins und der Masken, eine festliche Welt des Reichtums und Genusses! Aber unter diesem maskenhaften, schönen Schein liegt eine furchtbare und häßliche Wirklichkeit, und diese wird im Maskenzuge auch schon offenbar. Denn in diesem Zuge ziehen auch die allegorischen Gestalten der Holzhauer, das heißt der Arbeiter, deren schwerer Frondienst dieses ganze, schöne, heitere, genießerische Leben der Gesellschaft erst ermöglicht, und die von den «Parasiten» ausgebeutet, von den «Pulcinellen», den Nichtstuern, ausgelacht werden. In diesem Maskenzug rückt auch das «wilde Heer» heran: Es sind die Faunen und Satyrn, die rohen, sinnlichen Begierden, die unter den Masken des gehaltenen, gesellschaftlichen Anstandes toben, die Gnomen, die das Gold und Eisen aus den Bergen holen. Das Gold aber wird in der Gesellschaft zum Kuppeln und Stehlen, das Eisen zum allgemeinen kriegerischen Mord mißbraucht. Die Riesen sind die wilden, ungezähmten Kräfte der Natur. All diese Faunen, Satyrn, Gnomen und Riesen könnten zum Segen der Gesellschaft werden, wenn sie von ihr gezähmt, gebändigt, in Kultur verwandelt würden. Daher bringen sie im Maskenzug dem Allherrscher Pan ihre Gaben dar, damit er sie gerecht verteile und zum Wohl seines Volkes gebrauche. Pan ist die Maske des Kaisers. Da aber geht das Maskenspiel in drohende Wirklichkeit über. Denn Pan, der Kaiser ohne Herrscherpflichtbewußtsein, kommt dem flammenden Zauberkessel, aus dem Plutus-Faust seine magischen Schätze holt, zu nahe, so daß er Feuer fängt und alles in einem allgemeinen Brande aufzugehen droht, der nur durch die magischen Künste von Plutus und Mephisto gelöscht werden kann.

Das ist die furchtbare Wirklichkeit der Gesellschaft unter ihrem maskenhaften, schönen Schein: der Tanz um das goldene Kalb, die rohe, ungezähmte Begehrlichkeit, der Mißbrauch der Macht, Mißbrauch der Gaben der Natur, Ausbeutung der Armut und der Arbeit; und wie die Gesellschaft in diesem Maskenspiel allegorisch erscheint, so ist sie auch in der Wirklichkeit. Der Kaiser ist kein wahrer Herrscher, nicht Volksbeglücker; das Wohl des Reiches und seiner Untertanen macht ihm keine Sorge. Er will nichts als genießen und sich amüsieren und ist im Genuß erschlafft und erstarrt. Das Volk aber ist ohne Brot, das Heer ohne Sold und Disziplin, der Staat ohne Gerechtigkeit, der Richter steht auf der Seite des Verbrechers, das Kaiserreich zerfällt im Kriege aller gegen alle, und auch der Reichtum der Gesellschaft ist nur gespensterhafter Schein. Denn um dem Kaiser das nötige Geld für sein genießerisches Leben zu verschaffen, macht Mephisto eine wahrhaft teuflische Erfindung: das Papiergeld, den Papier-Schein, das Papier-Gespenst. In dieser Gesellschaft also ist alles nur Schein und Trug. Es ist nicht wahre Lebensschönheit. Denn wahre Schönheit ist nicht nur täuschender Schein, sondern die schöne Erscheinung der Wahrheit.

Mit diesem Bilde der Gesellschaft und des Staates, wie es der erste Akt des zweiten Teiles «Faust» zur Darstellung bringt, hat Goethe offenbar die Gesellschaft und den Staat vor der Französischen Revolution gezeichnet, den vorrevolutionären Zustand Europas, der die Revolution herausforderte und dem Napoleon ein Ende machte. Wird also Faust nun die napoleonische Mission erfüllen, oder wird auch er im Genuß erschlaffen und erstarren wie sein Schattenkaiser? Wird er zu diesem scheinhaft schönen Augenblick des festlichen Lebens sagen: «Verweile doch, du bist so schön»?

Aber Faust hat hinter die Masken der Gesellschaft gesehen. Ihm ist ihr wahres und wirkliches Wesen aufgegangen. Solch trügerische Schönheit wird es also nicht vermögen, ihn zu fesseln und zur Erschlaffung seines faustischen Strebens zu bringen. Er selbst tritt ja auch im Maskenspiel, während alle anderen nur begehren und empfangen und genießen, als der schenkende Plutus, der verteilende und verschwendende Reichtum auf. Es ist wohl nur ein gauklerisch-scheinhafter

Reichtum. Aber doch taucht schon in diesem ersten Akt die Ahnung auf, daß Faust einst am Ende seines irdischen Weges im Gegensatz zu dem falschen Herrscher, dem nur genießenden und im Genuß erschlafften Kaiser, ein wahrer, echter Herrscher, Volksbeglücker und Bändiger der wilden Elemente, Schöpfer der Kultur und Täter für die Menschheit werden wird. Aber noch ist der Weg zu diesem Ziele lang und schwer. Denn Faust muß erst nach dem Genuß der falschen, trügerischen Schönheit der Gesellschaft zur höheren Stufe des wahren und echten Schönheitsgenusses steigen. Er muß durch den Bund mit Helena erst selbst der innerlich wahrhaft schöne Mensch werden, ehe er die noch höhere Stufe der schöpferischen *Tat* betreten kann, und dazu wird ihm die Möglichkeit geboten.

Der Kaiser also, in Begier nach Genuß, verlangt von Faust, daß er ihm das schönste Weib, die antike Helena, und Paris, ihren Verführer, leibhaft heraufbeschwöre, und Mephisto weist Faust den Weg, wo Helena zu finden ist: den Weg zu den Müttern. Die Mütter! Wir stehen vor einer der großartigsten Partien der Faustdichtung. Die Mütter sind nicht einfach von Goethe rein erfunden. Er hat sie bei dem griechischen Schriftsteller Plutarch, in dessen «Leben des Marcellus» und der Schrift «über den Verfall der Orakel» angedeutet gefunden. Es waren Göttinnen, deren Kultus von Asien nach Griechenland gekommen war und die auf Kreta und Sizilien verehrt wurden: «die Göttinnen der Gründe», Gestalten und Urbilder aller Dinge, die je existiert haben und noch existieren werden, umgeben von der Ewigkeit, von der die Zeit wie ein Ausfluß in die Welten hinübergeht. Sie sind die allgebärenden Urkräfte der Allnatur, der mütterliche Schoß, der Urgrund aller Dinge, jenseits von Raum und Zeit, dem alle Dinge in den Raum und in die Zeit entsteigen. Der Kultus der Mütter war gleichsam die geheimnisvoll-dunkle Krypta unter dem apollinischen Tempel der griechischen

Götterwelt, und der alte Goethe hat damit, daß er diese dunklen Göttinnen wieder ins Bewußtsein rief, das europäische Bild Griechenlands, von dem auch er bisher nur den apollinischen, vordergründigen, oberflächigen, ästhetischen Schein gesehen hatte, ganz verwandelt. Der alte Goethe, der einmal vom Wesen des Alters sagte, es bestehe in dem «stufenweisen Zurücktreten aus der Erscheinung»[32], schaut in die unergründlichen Tiefen unter und hinter der schönen Erscheinung der griechischen Götterwelt, hebt ihren Schleier und blickt im Geiste hinter Raum und Zeit. Aber mit dieser im Ursprung asiatischen Vorstellung der Mütter hat er von sich aus eine ganz griechische Vorstellung verschmolzen, die allergriechischste, kann man sagen, nämlich die Ideenwelt Platos, die Welt der ewigen Urbilder oder der Ideen aller Dinge, von denen die Einzeldinge in Raum und Zeit nur Abbilder, Schatten, verdunkelte und vergängliche Erscheinungen sind. Die Mütter im «Faust» zeugen also die Urbilder oder die Ideen aller Dinge aus ihrem Schoße und haben sie um sich. Die Urbilder aber, wenn sie vom Strom der Zeit ergriffen werden, steigen oder sinken zum Leben in Raum und Zeit, nehmen das Abbild einer einzelnen, vergänglichen Erscheinung an und kehren nach deren Tode wieder zu den Müttern zurück, wartend, bis sie wieder einmal, vom Strom der Zeit ergriffen, zu neuem Einzelleben in Raum und Zeit aufgerufen werden.

Mephistopheles:
    Ungern entdeck' ich höheres Geheimnis. –
    Göttinnen thronen hehr in Einsamkeit,
    Um sie kein Ort, noch weniger eine Zeit;
    Von ihnen sprechen ist Verlegenheit,
    Die *Mütter* sind es!

Faust (aufgeschreckt):
                    Mütter!

Mephistopheles:
>Schaudert's dich?

Faust:
>Die Mütter! Mütter! – 's klingt so wunderlich!

Mephistopheles:
>Das ist es auch. Göttinnen, ungekannt
>Euch Sterblichen, von uns nicht gern genannt.
>Nach ihrer Wohnung magst ins Tiefste schürfen;
>Du selbst bist schuld, daß ihrer wir bedürfen.

Faust:
>Wohin der Weg?

Mephistopheles:
>Kein Weg! Ins Unbetretene,
>Nicht zu Betretende; ein Weg ans Unerbetene,
>Nicht zu Erbittende. Bist du bereit? –
>Nicht Schlösser sind, nicht Riegel wegzuschieben,
>Von Einsamkeiten wirst umhergetrieben.
>Hast du Begriff von Öd' und Einsamkeit?
>...
>Und hättest du den Ozean durchschwommen,
>Das Grenzenlose dort geschaut,
>So sähst du dort doch Well' auf Welle kommen.
>Selbst wenn es dir vorm Untergange graut.
>Du sähst doch etwas. Sähst wohl in der Grüne
>Gestillter Meere streichende Delphine;
>Sähst Wolken ziehen, Sonne, Mond und Sterne; –
>Nichts wirst du sehn in ewig leerer Ferne,
>Den Schritt nicht hören, den du tust,
>Nichts Festes finden, wo du ruhst.
>...

Faust (großartig):

> In eurem Namen, Mütter, die ihr thront
> Im Grenzenlosen, ewig einsam wohnt,
> Und doch gesellig. Euer Haupt umschweben
> Des Lebens Bilder, regsam, ohne Leben.
> Was einmal war, in allem Glanz und Schein,
> Es regt sich dort; denn es will ewig sein.
> Und ihr verteilt es, allgewaltige Mächte,
> Zum Zelt des Tages, zum Gewölb der Nächte.
> Die einen faßt des Lebens holder Lauf,
> Die andern sucht der kühne Magier auf;
> In reicher Spende läßt er, voll Vertrauen,
> Was jeder wünscht, das Wunderwürdige schauen.

Faust also wagt den Gang zu den Müttern und bringt einen Dreifuß herauf, aus dessen Weihrauchnebel durch magische Beschwörung Helenas Bild entsteht. Von Liebe zu ihrer Schönheit hingerissen und außer sich gesetzt, sucht er sie zu ergreifen. Da erfolgt eine Explosion, und Faust liegt ohnmächtig am Boden. Denn die wahre Helena ist so nicht zu erreichen. Bei den Müttern ist nur die *Idee* der Schönheit, das Urphänomen zu finden, aber nicht die einmalige Erscheinung Helenas.

Wie aber soll Faust zur wahren Helena gelangen? Wer weist ihm den Weg zu ihr?

Wir stehen hier vor einer der seltsamsten, aber auch tiefsten Erfindungen Goethes, die der Deutung immer Schwierigkeiten bereitet, aber, wenn sie einmal gefunden ist, ein überraschendes Licht auf die ganze Faustdichtung wirft. Es ist der Homunculus[39].

Vergegenwärtigen wir uns zunächst den dramatischen Vorgang: Wagner, der Famulus Fausts, hat auf chemischem Wege ein Menschlein hergestellt. Aber in der Retorte ist nur ein reiner, körperloser Geist erschienen, der den Drang besitzt, durch völlige Verkörperlichung und natürliche Entstehung ein ganzer Mensch zu werden. Ist dieser Homunculus nur eine satirisch-parodische Darstellung jenes von Goethe so gehaßten Glaubens und Versuchs der mechanistischen Naturwissenschaft, einen Menschen künstlich-chemisch in der Retorte herstellen zu können? Wollte Goethe mit dem Homunculus zeigen, was bei einer so unnatürlichen Menschenherstellung herauskommt: nämlich nur ein körperloser Geist. Oder handelt es sich um eine Parodierung der humanistischen Wissenschaft, die auf nur gelehrt-philologischem Wege die Erweckung der Antike versuchte, ohne doch die wahrhaft antike Menschenbildung und Kultur zu erreichen, und die kein neues Leben zu zeugen vermochte? Man wird gewiß solch parodische Züge in Homunculus finden können. Aber es sind doch nur Akzidentien. Goethe hat ja oft – und namentlich im Alter – jede Gelegenheit benutzt, auch bei ernstester Gestaltung zu sagen, was er gegen seine Zeit auf dem Herzen hatte, und er tat es mit heiterer Ironie. Aber das Wesen solcher Gestalten wird damit noch nicht getroffen, ihre wahre Bedeutung noch nicht erfaßt. Man darf auch das ergreifende Schauspiel nicht vergessen, wie allmählich die noch bemerkbaren Züge von Parodie in der «Klassischen Walpurgisnacht» aus dem Homunculus verschwinden und am Ende eine Figur bleibt, die es an heiligem Ernst mit dem Knaben Wagenlenker und dem Euphorion durchaus aufnehmen kann.

Die wahre Antwort auf die Frage nach dem Wesen des Homunculus geht daraus hervor, daß beide, Homunculus und Faust, nicht die gleiche, sondern grade die entgegengesetzte Entwicklung durchmachen. Homunculus, der reine, körperlose Geist, den es nach Verleiblichung verlangt und der sie gewinnen muß, um ganzer Mensch zu werden. Faust, der allzu tief in leiblicher Verdüsterung gefangene Mensch, der sich in immer strebendem Bemühen zu geistiger Klarheit durchringt. Homunculus, dem die Liebe zur Schönheit Galatheas den Beginn seiner Verkörperlichung ermöglicht. Faust, dem die Liebe zu der Schönheit Helenas die edelste Vergeistigung des sinnlichen Genusses bringt. Homunculus, der sofort nach seiner Erscheinung in der Retorte den Sinn seiner Existenz mit dem Worte ausdrückt: «Dieweil ich bin, muß ich auch tätig sein.» Faust, der am Anfang des ersten Teiles ohnmächtig vor dem Erdgeist, dem Tatengenius, zusammenbricht, weil er ihm noch nicht gleicht, der aber am Ende selbst zum Tatengenius sich wandelt. Alles, was Homunculus sofort am Anfang ist, wird Faust am Ende, und was Homunculus am Ende werden wird, ist Faust am Anfang.

Das allerwichtigste Zeichen aber für den umgekehrten Gang ihrer Entwicklung ist dies, daß Homunculus am Ende der klassischen Walpurgisnacht die Elemente, mit dem Meere beginnend, an sich heranrafft, um seiner reinen Geistigkeit die für die Menschwerdung notwendige Leiblichkeit zu gewinnen, während Faust auf seiner Himmelfahrt am Ende des zweiten Teils die körperlichen Elemente von sich abstreift, um wieder reiner Geist zu werden:

Wenn starke Geisteskraft
Die Elemente
An sich herangerafft,
Kein Engel trennte
Geeinte Zwienatur
Der innigen beiden,
Die ewige Liebe nur
Vermag's zu scheiden.

An der Stelle aber, wo es im zweiten Teil von den Engeln heißt, daß sie *Faustens Unsterbliches* tragen, steht in der Handschrift: Faustens *Entelechie* tragend, und es ist gewiß keine

114

Änderung des Sinnes dabei eingetreten. Faust wird mit seinem Tode, und das heißt mit der Lösung seines unsterblichen Geistes von den sterblichen Elementen, zur reinen, körperlosen Entelechie. Homunculus also, der in jedem Sinne den umgekehrten Weg der Entwicklung geht, *beginnt* als reine Entelechie *vor* ihrer Verleiblichung, Faust *endet* als reine Entelechie *nach* ihrer Verleiblichung.

Was aber heißt hier Entelechie? Von Riemer, dem Freund und Jünger Goethes, wird berichtet, daß Eckermann ihm auf seine Frage, was Goethe sich unter dem Homunculus gedacht habe, erwiderte: Goethe habe damit die reine Entelechie darstellen wollen, den Verstand, den Geist des Menschen, wie er vor aller Erfahrung ins Leben tritt. Denn der Geist des Menschen komme schon höchst begabt an, und wir lernten keineswegs alles, wir brächten schon mit [39].

Goethe stützt sich mit seinem Entelechiebegriff auf Aristoteles. Eine Entelechie ist das, was ein Ziel, ein Telos in sich hat. Man könnte Telos auch mit Bestimmung oder Aufgabe oder Auftrag oder Intention oder innere Form übersetzen. Eine Entelechie ist nach Aristoteles wohl ein körperlich-materielles Wesen, das aber ein in ihr angelegtes Telos verwirklicht und ihm äußere Erscheinung gibt.

Der wichtigste Unterschied zwischen Goethe und Aristoteles aber besteht darin, daß Goethes Entelechie ganz wesentlich eine geistige Begabung vor aller Erfahrung, eine Anticipation in diesem Sinne ist. Es ist kaum nötig, die Goethesche Idee der Anticipation aus philosophischen Quellen herzuleiten. Man kann wohl darauf hinweisen, daß Goethe in der Schrift «De generationibus rerum naturalium» von Paracelsus lesen konnte, homunculi wüßten alle heimlichen und verborgenen Dinge, die allen Menschen sonst nicht möglich zu wissen seien, denn da sie durch Kunst geboren werden, darum sei ihnen die Kunst einverleibt und angeboren, und sie brauchten von niemandem zu lernen, sondern man müsse von ihnen lernen. Aber die wahre Quelle war wie immer Goethes eigenstes Erlebnis, und zwar sein Erlebnis, das er als Dichter und von Dichtern hatte. Es ist sehr charakteristisch, daß seine Anticipationsidee wohl zum erstenmal in «Wilhelm Meisters theatralischer Sendung» auftaucht, und zwar in dem Augenblick, als Wilhelm Meister Shakespeare kennenlernt. «Alle Vorgefühle», so ruft er damals aus, «die ich jemals über Menschheit und ihre Schicksale gehabt, die mich von Jugend auf, nur mir selbst unwissend, begleiteten, durch die mir nach und nach die Menschen, die mir im Leben vorkamen, die Fälle, in die ich mich und die andern versetzt sah, nur gleichsam als alte Bekannte begegneten; diese Ahndungen finde ich in Shakespeares Stücken wie erfüllt und entwickelt.» Nach einem Gespräch über den «Hamlet» sagt Aurelie zu Wilhelm Meister: «Mit Verwunderung bemerkte ich an Ihnen den großen und richtigen Blick, mit dem Sie Dichtung und besonders dramatische Dichtung beurteilen. Die tiefsten Abgründe sind Ihnen nicht verborgen, und die feinsten Schattierungen sind Ihnen bemerkbar. Ohne die Gegenstände in der Natur gekannt zu haben, erkennen Sie solche im Bilde; es scheint eine Vorempfindung der ganzen Welt in Ihnen zu liegen, die durch die harmonische Berührung der Dichtkunst geregt und entwickelt wird.» «Denn wahrhaftig», fuhr sie fort, «von außen kommt nichts in Sie hinein! Ich habe nicht leicht jemanden gesehen, der die Menschen, mit denen er lebt, so von Grund aus verkennt wie Sie ...» «Ich habe von Jugend auf», gesteht Wilhelm Meister, «mehr einwärts als auswärts gesehen, und da ist es sehr natürlich, daß ich *den* Menschen bis auf einen gewissen Grad habe kennen lernen, ohne mich auf *die* Menschen im geringsten zu verstehen.» «Ich schrieb», so sagte Goethe zu Eckermann [40], «meinen Götz von Berlichingen als junger Mensch von zweiundzwanzig und erstaunte zehn Jahre später über die Wahrheit meiner Darstellung. Erlebt und gesehen hatte ich bekanntlich dergleichen nicht, und ich mußte also die Kenntnis mannigfaltiger menschlicher Zustände durch Anticipation besitzen. Überhaupt hatte ich nur Freude an der Darstellung meiner innern Welt, ehe ich die äußere kannte. Als ich nachher in der Wirklichkeit fand, daß die Welt so war, wie ich sie mir gedacht hatte, war sie mir verdrießlich und ich hatte keine Lust mehr sie darzustellen.» In seinen «Tag- und Jahresheften» äußerte Goethe sich ähnlich und zeichnete hier auch auf, daß er die Welt als Dichter durch Anticipation vorweggenommen habe und daß ihm bei seiner Bearbeitung des «Egmont» in Italien aufgefallen sei, in den Zeitungen lesen zu müssen, daß die revolutionären Szenen, die er im «Egmont» dargestellt hatte, sich im gegenwärtigen Brüssel fast wörtlich erneuerten, so daß auch hier wieder die poetische Anticipation in Betracht komme. Auf eine Bemerkung Eckermanns, im ganzen «Faust» sei keine Zeile, die nicht von sorgfältiger Durchforschung der Welt und des Lebens unverkennbare Spuren trüge, und man werde keineswegs erinnert, als sei Goethe das alles ohne die reichste Erfahrung nur so geschenkt worden, antwortete er: «Mag sein, allein hätte ich nicht die Welt durch Anticipation bereits in mir getragen, ich wäre mit sehenden Augen blind geblieben, und alle Erforschung und Erfahrung wäre nichts gewesen als ein ganz totes vergebliches Bemühen. Das Licht ist da, und die Farben umgeben uns; allein trügen wir kein Licht und keine Farben im eigenen Auge, so würden wir auch außer uns dergleichen nicht wahrnehmen.»

Wär nicht das Auge sonnenhaft
Die Sonne könnt es nie erblicken;
Läg nicht in uns des Gottes eigne Kraft,
Wie könnt uns Göttliches entzücken?[41]

So hatte Goethe, wie Eckermann berichtet[40], auch von Lord
Byron gesagt, daß ihm die Welt durchsichtig und ihre Darstellung durch Anticipation möglich sei. Zwei Einschränkun-
gen der Anticipationsmöglichkeit aber, die Eckermann
machte, wurden von Goethe zugegeben. Die erste ist, daß
nur «die Welt des Innern», aber nicht die empirische Welt
der Erscheinung und Konvenienz dafür in Betracht komme,
und wenn also dem Dichter oder Künstler eine wahre Darstellung derselben gelingen soll, so muß doch wohl die Erforschung des Wirklichen hinzukommen. «Die Region der
Liebe, des Hasses, der Hoffnung, der Verzweiflung und wie
die Zustände und Leidenschaften der Seele heißen, ist dem
Dichter angeboren und ihre Darstellung gelingt ihm. Es ist
aber nicht angeboren: wie man Gericht hält, oder wie man
im Parlament oder bei einer Kaiserkrönung verfährt, und um
nicht gegen die Wahrheit solcher Dinge zu verstoßen, muß
der Dichter sie aus Erfahrung oder Überlieferung sich an-
eignen. So konnte ich im Faust den düstern Zustand des Le-
bensüberdrusses im Helden sowie die Liebesempfindungen
Gretchens recht gut durch Anticipation in meiner Macht
haben; allein um zum Beispiel zu sagen:

Wie traurig steigt die unvollkommne Scheibe
Des späten Monds mit feuchter Glut heran,

bedurfte es einiger Beobachtung der Natur[42].»
  Die zweite Einschränkung der Anticipationsmöglichkeit ist
die, daß jedes Talent eine ihm eigene Region besitzt, aus der
es nicht herausgelangen kann und deren Darstellung ihm
allein wahrheitsgemäß gelingt.
  Wir stehen hier offenbar vor Ideen, welche die Grundlagen
für eine neue Poetik und Ästhetik werden könnten.
  Für das Verständnis der Faustdichtung aber sagt uns die
in Homunculus verkörperte Anticipationsbegabung, wie der

118

Homunculus zum Führer Fausts in Helenas Welt werden kann. Denn er besitzt im höchsten Grad die Gabe des Verstehens von seelischen Zuständen, die er selbst noch nicht erfahren hat. Er kann die Liebe Fausts zu Helena und seine Verzweiflung schon auf den ersten Blick erkennen, bevor er selbst noch von Liebe zu Galathea ergriffen wurde. Er kann mit seinem geistigen Auge den faustischen Traum von Leda und dem Schwan und also der Entstehung Helenas erschauen. Er weiß von der Schönheitswelt der Antike, von der Mephisto nichts weiß, besonders aber: Er weiß, daß er seine Leibwerdung und natürliche Entstehung in der «Klassischen Walpurgisnacht» finden wird, eben dort, wo Faust seine Vergeistigung im Bunde mit Helena beginnen kann. Denn die antike Schönheitswelt ist beides: Geist und Leib in völliger Harmonie. Homunculus weiß auch, daß grade jetzt die gegenwärtige Nacht mit der Stunde zusammentrifft, wo einst die pharsalische Schlacht vorbereitet wurde, welche Caesar wie Pompejus schlaflos zubrachten und welche immer wieder mit dem Fest der klassischen Walpurgisnacht in Thessalien gefeiert wird.

Homunculus:
Jetzt eben, wie ich schnell bedacht,
Ist klassische Walpurgisnacht.

Homunculus bricht also mit dem schlafenden Faust und Mephisto zusammen in die klassische Walpurgisnacht auf.

Die «Klassische Walpurgisnacht» ist wohl die schwierigste Partie des zweiten Teiles «Faust», dessen zweiten Akt sie als Vorbereitung für das Auftreten Helenas fast ganz ausfüllt. Goethe konnte Helena, nach deren Gestaltung es ihn verlangte, nicht einfach erscheinen lassen. Er bedurfte einer langen und ausführlichen Vorbereitung. Was Faust im ersten Akt aus dem Reich der Mütter an den Kaiserhof brachte, war, wie wir sahen, nicht die wahre Helena. Es war ein Phantom, und als er danach greifen wollte, erfolgte eine Explosion, und er brach ohnmächtig zusammen. Die wahre Helena ist so nicht zu erreichen. Denn auch die Schönheit der antiken Götter- und Heldenwelt ist ja nicht plötzlich, fix und fertig, in die Welt getreten, sondern langsam als das letzte Resultat, das Ziel und der Gipfel eines organischen Entwicklungsprozesses entstanden. Die schönen, menschlichen Götter und Helden der Griechen haben sich aus vormenschlichen, vorgestaltigen Dämonen erst entwickelt, denen der magische Mensch, wie es auch der Grieche einmal war, nur mit magischem Zauber begegnen konnte. Es war die schöpferische Tat des griechischen Geistes, daß er das magische Weltbild, das Bild einer von Dämonen erfüllten und nur durch Magie zu beherrschenden Welt in das Bild einer Welt verwandelte, die von menschengleichen, vernünftigen und schöngestaltigen Göttern gelenkt wird, in der nicht chaotische Willkür, sondern kosmische Ordnung herrscht. Diese griechische Tat bedeutete die Wandlung der asiatischen in die europäische Kultur, den Aufgang des abendländischen Geistes.

Wenn also Faust sich die wahre Helena gewinnen will, so muß er diesen organischen Wandlungsprozeß, den die griechische Kultur vollzog, bis sie die Kultur der Schönheit wurde, noch einmal in sich selbst vollziehen. Faust muß zum Griechen und zum Europäer werden, und das heißt, bildlich gesprochen: er muß erst selbst die vormenschliche, vorgestaltige, vorschöne Dämonenwelt der Griechen, aus der sich die hellenische Schönheit erst entwickelte, durchschreiten, den Weg zu Helena gehen, wie ihn die Griechen gingen.

Dies ist der Sinn der schwierigsten Partie des zweiten Teiles «Faust». Sie ist das südlich-klassische Gegenstück zu der nordisch-romantischen «Walpurgisnacht» des ersten Teils. Denn diese war das häßlich-rohe, düstere Taumelfest der nordischen Dämonen, der Teufel, Hexen und Gespenster, der

Fratzen und Phantome. Dieser spukhaften Welt war es unmöglich, sich je in reine Schönheit zu verwandeln. Die
«Klassische Walpurgisnacht» aber ist das Fest der südlich-
griechischen Dämonen, der Sphinxe, Sirenen, Nymphen,
Satyrn, Zentauren, Tritonen, Nereiden, Pygmäen, Lamien,
der griechischen Dämonen also, die wohl noch nicht rein
menschliche und schöngestaltige Wesen sind, die noch aus
Tier- und Menschgestalt seltsam vermischt erscheinen, die
aber doch so natürlich und gesund, so vormenschlich und vor-
schön sind, daß sie die Vorstufen oder Entwicklungsstufen
werden konnten, über welche der griechische Weg zur reinsten, menschlichsten Schönheit aufwärts zu führen vermochte. Der griechische Geist hat schon in diese Dämonen den
Keim der Schönheit gelegt, aus dem sie sich organisch und
notwendig entwickeln konnte.

Die geistige Funktion also, welche die «Klassische Walpurgisnacht» im Gesamtorganismus der Faustdichtung zu
erfüllen hat, ist völlig klar: Faust muß erst die organisch-
natürliche Entwicklung der griechischen Schönheit durch-
laufen, um reif für Helena zu werden. Goethe brauchte nun
nicht mehr zu fürchten, wie er es um 1800 getan hatte, die
Schönheit Helenas durch die Vermählung mit Faust in eine
Fratze zu verwandeln. Er hatte damals daran gedacht, die
Helenatragödie ganz von der Fausttragödie loszutrennen und
eine eigene, selbständige Tragödie in antikem Stil aus ihr zu
schaffen. Daß er nun doch diese Idee fallen ließ und Helena
mit Faust vermählte, hat einen tiefen Grund. Goethe geriet
nach der Jahrhundertwende nämlich in den Bannkreis der
Romantik. Er, der niemals erstarrende, sondern immer ver-
wandlungsbereite und verwandlungsfähige Geist, der durch
Verwandlung sich immer lebendig schöpferisch erhielt, öff-
nete sich auch der Romantik, und ihr ist es zu verdanken, daß
Goethe den faustischen Geist, der ja dem romantischen so tief

verwandt ist, mit andern Augen zu sehen begann: Er maß ihn
nicht mehr so einseitig mit dem einzigen Maß der Antike. Er
erkannte das eigene «Faustrecht» an. Er fürchtete nicht mehr,
Helena durch den Bund mit Faust zu «verbarbarisieren»,
sondern fand im Faustischen Geiste selbst die Schönheitssehnsucht angelegt.

Um die verschlungenen Wege der «Klassischen Walpurgisnacht» mit Klarheit zu erkennen, muß man die Wege von
Faust, Mephisto und Homunculus, die jeder auf seine Weise
zu seinem eigenen Ziele hin geht, deutlich auseinanderhalten.
Faust wird von seiner Schönheitssehnsucht zu Chiron, dem
Kentauren, geleitet, der ihn zu Manto, der Tochter Aesculaps,
der Priesterin Persephones ins Reich der Unterwelt führt, wo
Helena zu finden ist. Er sollte nun in einer großen, herzbewe-
genden Rede Persephone bestimmen, Helena aus der Unterwelt wieder an das Licht des Tages zu entlassen. Diese Rede
wurde aber von Goethe nicht ausgeführt. Es ist eine schmerzliche Lücke.

Mephisto sucht sich indessen der ihm so ungewohnten an-
tiken Umwelt anzupassen, indem er das Bild der häßlichsten
Gestalt der antiken Mythologie, der Phorkyas, annimmt.
Denn das teuflische Prinzip des Nordens, das Unsittliche und
Unheilige, ist in der griechischen Antike das Häßliche und
Ungestalte.

Homunculus aber, der in der «Klassischen Walpurgisnacht» seine organisch-natürliche Entstehung nachholen
möchte und aus einer reinen Entelechie ein ganzer, leiblicher
Mensch zu werden hofft, wird zu Proteus, dem Gott der Verwandlung, geführt. Dieser bringt ihn ans Meer, in dem alles
organisch-natürlich entstehen und sich entwickeln kann, und
Homunculus, von Liebe zu Galathea ergriffen, zerschellt
seine Phiole an ihrem Muschelwagen und ergießt sich ins
Meer, wo seine Leibwerdung beginnen kann. Mit einem

dionysischen Hochgesang All-Aller auf Eros, der alles beginnt, und auf die Elemente, welche die Entelechie für ihren Aufbau an sich heranschafft, schließt die «Klassische Walpurgisnacht».

Der dritte Akt beginnt, die eigentliche Helenatragödie. Man hat in der Literatur zu Goethes «Faust» oft und immer wieder die Meinung vertreten, daß die natürliche Entwicklung des Homunculus, die durch viele Metamorphosen hindurch gehen muß, in der schönen Gestalt Helenas ihren Gipfel und ihr Ende erreicht. Das ist freilich nicht aufrechtzuerhalten. Es ist eine geistvolle, aber leere Spekulation. Das einzige, was man sagen darf, ist dies: daß der Auftritt Helenas am Beginn des dritten Aktes, der auf jenes dionysische Ende des zweiten Aktes, auf das Sich-Verströmen des Homunculus ins Meer und den Beginn seiner natürlichen Entstehung aus dem Meere unmittelbar folgt, gleichsam wie die apollinische Erscheinung der plastisch schönen und geschlossenen Gestalt der Helena, wie die Geburt der klassischen Gestalt aus dem Geiste der dionysischen Musik entsteht. Helena also ist aus der Unterwelt emporgestiegen und fängt ihr oberweltliches Leben noch einmal, und zwar in jenem Augenblicke an, da sie, um welche der Trojanische Krieg entbrannt war, nach dem Ende dieses Krieges in ihre Heimat, Sparta, zurückgekehrt ist, von ihrem Gatten Menelaos vorausgeschickt, um ein häusliches Opfer vorzubereiten: Helena vor dem Palaste des Menelaos, mit dem Chor gefangener Trojanerinnen, die ihr als Mägde dienen; aber der Heimkehr nicht froh, sondern angstvoll, ahnungsvoll, daß sie selbst es sei, die von Menelaos zum Opfer ausersehen ist, damit er Rache für ihre einstige Flucht mit Paris nehme. Sie betritt den königlichen Palast, aber stürzt sogleich wieder hinaus, denn ihre Augen haben am Herde ein Weib von Entsetzen erregender Häßlichkeit erblickt. Es ist Mephisto in Phorkyas Gestalt, die als Schaffnerin des Hauses ihren Dienst an Helena tut. Trompeten künden in der Ferne die drohende Ankunft des Menelaos an, und Helena wird von Mephisto-Phorkyas auf die gotische Burg Fausts gerettet, die sich auf klassisch-griechischem Boden erhebt. Faust steigt in ritterlicher Hofkleidung des Mittelalters zu Helena, der antiken Schönheit, herab, und Helena neigt sich ihm in Liebe zu.

Mit dem Bunde Fausts und Helenas vollzieht sich nun der hochsymbolische Prozeß der Vermählung des klassischen und romantischen Geistes. In der deutschen Literatur nämlich und in der europäischen Literatur überhaupt war um die Wende des 18. und 19. Jahrhunderts der Kampf zwischen den Klassikern und den Romantikern ausgebrochen. Die Klassik erstrebte die Wiedergeburt der Antike, die Romantik die des Mittelalters. Goethe aber wollte von seinem universalen und überschauenden Standpunkt aus die sich leidenschaftlich bekämpfenden Klassiker und Romantiker endlich versöhnen. «Daß wir uns bilden ist die Hauptforderung; woher wir uns bilden wäre gleichgültig, wenn wir uns nicht an falschen Mustern zu verbilden fürchten müßten», so schrieb Goethe in einem Brief vom 27. September 1827[43] über den «Hauptsinn» seiner Darstellung vom Bunde Fausts mit Helena. Auch bemerkte er, Eckermann gegenüber, daß schon immer in den ersten Akten des zweiten Teils «das Classische und Romantische anklingt und zur Sprache gebracht wird, damit es, wie auf einem steigenden Terrain, zur Helena hinaufgehe, wo beyde Dichtungsformen entschieden hervortreten und eine Art von Ausgleichung finden[44]». Tatsächlich findet die Ausgleichung auch in der Form statt, denn als Helena die ihr so seltsam wie freundlich klingende Rede des Turmwächters Lynceus hört, bittet sie, die an antike, klassische Rhythmen Gewohnte, Faust um Auskunft und Unterricht, warum die Rede dieses Mannes ihr so seltsam klang.

Helena:
Ein Ton scheint sich dem andern zu bequemen,
Und hat ein Wort zum Ohre sich gesellt,
Ein andres kommt, dem ersten liebzukosen.

Faust:
Gefällt dir schon die Sprechart unsrer Völker,
O so gewiß entzückt auch der Gesang,
Befriedigt Ohr und Sinn im tiefsten Grunde.
Doch ist am sichersten, wir üben's gleich;
Die Wechselrede lockt es, ruft 's hervor.

Helena:
So sage denn, wie sprech' ich auch so schön?

Faust:
Das ist gar leicht, es muß von Herzen gehn.
Und wenn die Brust von Sehnsucht überfließt,
Man sieht sich um und fragt –

Helena:
                            wer mitgenießt.

Faust:
Nun schaut der Geist nicht vorwärts, nicht zurück,
Die Gegenwart allein –

Helena:
                        ist unser Glück.

Faust:
Schatz ist sie, Hochgewinn, Besitz und Pfand;
Bestätigung, wer gibt sie?

Helena:
                        Meine Hand.

So wird der Reim in Helenas Munde zum formalen Ausdruck romantischer Liebe.

Als ein zweites Moment der Versöhnung von Klassik und Romantik wäre in diesem dritten Akt, der Helenatragödie also, der Übergang zu nennen, der sich nach der Geburt Euphorions von der Dichtung in die *Opernform* vollzieht. «Ein reizendes, reinmelodisches Saitenspiel erklingt aus der Höhle. Alle merken auf und scheinen bald innig gerührt. Von hier an bis zur bemerkten Pause durchaus mit vollstimmiger Musik.» Goethe hat ausdrücklich einmal Eckermann gegenüber verlangt: «Der erste Teil ... [der Helena] erfordert die ersten Künstler der Tragödie, so wie nachher im Theile der Oper die Rollen mit den ersten Sängern und Sängerinnen besetzt werden müssen. Die Rolle der Helena kann nicht von einer, sondern sie muß von zwey großen Künstlerinnen gespielt werden; denn es ist ein seltener Fall, daß eine Sängerin zugleich als tragische Künstlerin von hinlänglicher Bedeutung ist[45]».

Die Vermählung Fausts mit Helena konnte aber nicht die letzte Stufe von Fausts Entwicklung bleiben. Sie hatte ihm den reinsten, edelsten Genuß geschenkt, den ein Mensch überhaupt erreichen kann, den Genuß der Schönheit. Aber auf dieser Stufe ist Faust von der Gefahr bedroht, seine Wette mit Mephisto zu verlieren und zu diesem schönen Augenblick zu sagen: «Verweile doch, du bist so schön.» Daß aber dies nicht geschieht, sondern daß Faust zu einer noch höheren und letzten Stufe seines irdischen Weges emporgetragen wird, das wird durch den Sohn von Faust und Helena, durch Euphorion bewirkt, die Gestalt, mit der Goethe dem englischen Dichter Byron sein ewiges Denkmal der Liebe setzte.

Als Goethe den «Manfred» Byrons 1817 kennenlernte, erkannte er sofort darin den Sohn seines Faust. «Die wunderbarste Erscheinung», so schreibt er damals, «war mir diese

Tage das Trauerspiel Manfred von Byron, das mir ein junger Amerikaner zum Geschenk brachte. Dieser seltsame geistreiche Dichter hat meinen Faust in sich aufgenommen und für seine Hypochondrie die seltsamste Nahrung daraus gesogen. Er hat alle Motive auf seine Weise benutzt, so daß keins mehr dasselbige ist, und gerade deshalb kann ich seinen Geist nicht genug bewundern. Diese Umbildung ist so aus dem Ganzen, daß man darüber und über die Ähnlichkeit und Unähnlichkeit mit dem Original höchst interessante Vorlesungen halten könnte; wobey ich freylich nicht läugne, daß einem die düstre Gluth einer grenzenlosen reichen Verzweiflung denn doch am Ende lästig wird. Doch ist der Verdruß, den man empfindet, immer mit Bewunderung und Hochachtung verknüpft[46].»

Byron selbst hat es zwar geleugnet, daß sein «Manfred» vom «Faust» inspiriert sei. Er habe ihn gar nicht gekannt, denn er verstehe nicht deutsch. Aber man weiß von Byron selbst, daß unmittelbar bevor der «Manfred» entstand, sein Freund Monk Lewis ihm den Goetheschen «Faust» mündlich übersetzte und daß Byron sehr davon erschüttert war, und der «Manfred» trägt denn auch wirklich die ursprünglichen Spuren des Goetheschen «Faust» in sich. Der Geist dieser Tragödie des Übermenschen, der unerträgliche Qualen leidet, weil Gott den nach seinem Bilde geschaffenen Menschen wohl mit göttlichem Funken begabt und doch an den Staub gefesselt hat, der sich der magischen Kunst bemächtigt und doch erfahren muß, daß auch Magie ihn nicht von seiner Seelenqual erlösen kann, ist Geist vom Geiste Goethes. Byron führte den «Faust» Goethes auf seinen Weltreisen mit sich, wie Napoleon es mit dem «Werther» tat. Aber der faustische Geist spricht auch sonst aus Byrons Produktionen. Seine Tragödien waren Sturmzeichen eines neuen Menschentums und eines neuen Europa, so wie «Faust» es war. Zu Manfred, der erkennen muß, daß alle Geistesmacht nicht Glück und Hilfe bringen kann, tritt der alttestamentarische Kain, Ankläger gegen Adam, seinen Vater, der die Frucht der Erkenntnis pflückte und nicht die des Lebens, womit er den nie zu stillenden Wissensdurst erregte, Ankläger gegen Gott, der auf die verbotene Erkenntnis den Fluch der Arbeit und des Todes setzte. Als aber Luzifer ihm auf dem Fluge durch den Weltenraum das Geheimnis des Todes, der Vergangenheit und der Zukunft offenbart, bleibt ihm nur dieses als der Weisheit letzter Schluß, daß Gott wohl allmächtig, aber nicht allgütig ist, der ewige Zerstörer seiner Schöpfung, der Tyrann, der außer sich nur Staub und Ohnmacht duldet. Mit solchem Wissen kann Kain es nicht ertragen, daß Abel diesem grausamen Gott ein Opfer darbringt, und erschlägt den Bruder. Das Mysterium «Himmel und Erde» war wiederum eine empörerische Anklage gegen Gott, der die Vermischung himmlischer und irdischer Wesen verbot und sie mit der alles verschlingenden Sintflut straft. Das Gedicht «Prometheus» endlich: ein Hymnus auf den Titanen, der gegen Gottes Verbot die Flamme der geistigen Kraft in den Menschen entzündete und nun, in ewige Ketten geschmiedet, ewig von Geiern zerrissen, stolz und unbeugsam dem Gott die Kraft seines Geistes entgegensetzt.

Solche Dichtungen liest Goethe ahnungsvoll und staunend, sieht aber auch, wie Byron selbst, als er auf seine quälenden Fragen keine Antwort findet, sich gleich Faust ins Leben stürzt, um dessen Glück und Schmerz und alles Wohl und Weh der Welt auf seinen Busen zu häufen. Als englischer Lord Reichtum und Macht besitzend, als Dichter Ruhm und Gunst der Frauen, braucht er sich keinen Wunsch zu versagen. Aber sein durchstürmtes Leben führt ihn in Schuld und Qual. Er taumelt, wie Faust, von Begierde zu Genuß und verschmachtet im Genuß nach Begierde. Der Unfriede mit sich selbst wird zur Unzufriedenheit mit der Welt. Überall findet er das Leben unterdrückt und getötet. Er hofft von Napoleon, daß er der Befreier Europas und der Erwecker eines neuen Lebens werde. Aber die Schlacht von Waterloo wurde der Beginn einer allgemeinen Reaktion in Europa. Absolutismus und Feudalismus bedrückte die Völker, die Kirche nahm dem Geiste seine Freiheit, die Gesellschaft bannte den Menschen in die starren Formen einer heuchlerischen Moralität. Da beginnt Byron an allen festen Lebensformen Europas zu rütteln und erschüttert sie mit der Gewalt seines Wortes und Geistes, seines Pathos und seines Hohnes. Er ruft die Völker zur Befreiung auf, daß sie den irdischen und himmlischen Tyrannen nicht mehr dienen. Er reißt der Gesellschaft ihre Masken ab. Seine eigene Dichtung wird zur politischen Tat. Aber auch dabei bleibt er nicht stehen, und als die Griechen ihren Freiheitskampf gegen das Joch der Türken beginnen, stellt er sich als Feldherr an ihre Spitze und geht heldisch unter, kurz bevor ihm die verheißene Krone Griechenlands zuteil geworden wäre.

Von seinem stillen Weimar aus begleitete der alte Goethe die Laufbahn dieses jungen, strahlenden Kometen mit staunender und immer steigender Bewunderung, eine Bahn so ohnegleichen in vergangenen Jahrhunderten, daß ihm die Elemente zu ihrer Berechnung völlig zu fehlen schienen. Er wirkte öffentlich für Byron durch Ankündigung seiner Werke und Übersetzungen aus ihnen, wodurch er ihm zu seinem europäischen Glanz und Ruhm verhalf. Kein anderer seiner Zeitgenossen hat Goethe so dauernd und tief beschäftigt. An keinem hat er so menschlich Anteil genommen. Von keinem empfing er auch mit solcher Genugtuung und innerer Beglückung Zeugnisse der Verehrung, wie Byron sie in Widmungen, Briefen und Grüßen an Goethe ablegte. Zum Dank für solche Zeichen der Zuneigung beschloß Goethe mit Klarheit und Kraft auszusprechen, von welcher Hochachtung er für seinen un-

übertroffenen Zeitgenossen durchdrungen, von welchem teil-
nehmenden Gefühl für ihn er belebt sei. Als nun ein junger
Mann im Frühjahr 1823 seinen Weg von Genua, wo er mit
Byron zusammengetroffen war, nach Weimar nahm, und ei-
genhändig geschriebene Worte Byrons als Empfehlung über-
brachte, als bald darauf das Gerücht verlautete, der Lord
werde seinen großen Sinn und seine mannigfaltigen Kräfte
zur Befreiung Griechenlands jenseits des Meeres verwenden,
da schrieb Goethe dies Gedicht an Byron:

> Ein freundlich Wort kommt eines nach dem andern
> Von Süden her und bringt uns frohe Stunden;
> Es ruft uns auf, zum Edelsten zu wandern,
> Nicht ist der Geist, doch ist der Fuß gebunden.
>
> Wie soll ich dem, den ich so lang begleitet,
> Nun etwas Traulichs in die Ferne sagen?
> Ihm, der sich selbst im Innersten bestreitet,
> Stark angewohnt das tiefste Weh zu tragen.
>
> Wohl sei ihm doch wenn er sich selbst empfindet!
> Er wage selbst, sich hoch beglückt zu nennen,
> Wenn Musenkraft die Schmerzen überwindet;
> Und wie ich ihn erkannt mög' er sich kennen.

Byron empfing dieses Gedicht, da er grade im Begriff war,
nach Griechenland zu gehen, und dankte Goethe mit einem
glühenden Brief, in dem er ihm seinen Besuch in Weimar versprach, wenn er je wieder von Griechenland zurückkehren
werde. Aber Byron starb 1824 in Missolunghi, und Goethe
setzte ihm in der Gestalt Euphorions, des Sohnes von Faust
und Helena, das ewige Denkmal.

Wie kommt dies alles? Ist Goethes unbegrenzte Liebe für
Byron nicht sehr seltsam? Wo Byron doch durchaus nicht das
Bild des Dichters und des Menschen darstellt, das dem alten

und weisen Goethe vor der Seele stand. Goethe hatte sich nach Kampf und schmerzlicher Entsagung doch in die Bindung eines ewigen Maßes, einer strengen Form gefügt und sich dem Dienst der Ordnung, des Gesetzes und der Sitte menschlicher Gesellschaft geweiht. Byron aber stürmte ohne Maß, Gesetz und Bindung durch das Leben, brach mit allen Traditionen seines Volkes, kündigte allen Sitten der Gesellschaft, allen europäischen Ordnungen den Gehorsam auf. Goethe hatte sich aus dem Weltschmerz seiner Jugend zur Weltbejahung durchgerungen: «Wie es auch sei, das Leben, es ist gut[47].» Byron aber verharrte in grenzenloser Menschen- und Weltverachtung, und seine Poesie war eine Poesie der Verzweiflung und Verneinung. Goethe betete zu den Göttern der Antike. Byron aber nannte diese Götter «Töpferware» und sagte zu seinem Führer auf Ithaca, er hasse antiquarisches Geschwätz. Wofür Byron starb, war nicht die Wiedergeburt des antiken Griechenland, seiner Kultur und Kunst, sondern die politische Befreiung des modernen Griechenland.

Warum liebte der alte Goethe diesen jungen Dichter so, der so gar nicht das Ideal des Menschentums und Dichtertums verkörperte, wie es Goethe damals vor der Seele schwebte? Es war die Liebe eines Vaters zu seinem geistigen Sohn, dem Sohn seines faustischen Geistes. Diese Liebe aber war mit Sorge und Angst vermischt. Denn er sah auch, wohin dieser faustische Geist ihn führte, in Allverneinung und Allverzweiflung, in Maß- und Grenzenlosigkeit. Er sah, auf welchen Weg sein «Faust» den europäischen Geist im Symbol dieses jungen Dichters, der sich selbst zerstörte, führen mußte. Er selbst empfand sich schuldig an der europäischen Krise, die überall zum Ausbruch kam. War dies das Feuer, das er selbst auf dem heiligen Altar der europäischen Kultur entfachen wollte und das nun Europa in Flammen zu setzen und zu zerstören drohte? Am Schicksal Byrons, den Goethe für das größte Ta-

lent des Jahrhunderts erklärte[48], ging es ihm auf, in welche
Gefahr er Europa stürzte. Die Maßlosigkeit und Zügello-
sigkeit dieses jungen Genius ängstigte und warnte ihn, und
als er seinen Tod in Griechenland und für Griechenland,
1824, vernahm, wurde dies offenbar der Anstoß, den zweiten Teil des «Faust» zu vollenden und Europa im Schicksal Euphorions einen warnenden Spiegel vorzuhalten. Auch
sah er, daß Byron nicht antik und nicht romantisch sei, sondern «wie der gegenwärtige Tag selbst[49]»; und eine solche
Gestalt brauchte er.

So gestaltete sich nach Byrons Bild Euphorion, der von dem
Vater Faust den ungemessenen, nie befriedigten Höhendrang,
von seiner Mutter Helena die Schönheit der Gestalt, die Anmut der Bewegung und Gaben der Musen empfing, sich aber
nicht an Saitenspiel, Gesang und Führung des Tanzes begnü-
gen kann, seine überlebendigen, heftigen Triebe nicht zu bändigen und zu mäßigen vermag, voll kriegerischen Feuers, to-
deslustig und gefahrensüchtig, immer höher und höher
klimmt, vom höchsten Gipfel aus in weiter Ferne zwei feind-
liche Heere im Kampf erblickt, sich ohne Flügel in die Lüfte
wirft, um an dem Kampfe teilzunehmen, und tot zu der Eltern
Füßen niederstürzt. «Ein schöner Jüngling stürzt zu der Eltern Füßen, man glaubt in dem Toten eine bekannte Gestalt
zu erblicken» (Byron); «doch das Körperliche verschwindet
sogleich, die Aureole steigt wie ein Komet zum Himmel auf,
Kleid, Mantel und Lyra bleiben liegen.» Der Trauergesang
des Chores um den toten Euphorion ist die Totenklage Goethes um seinen geistigen Sohn und seine Klage um das junge,
sich selbst zerstörende Europa überhaupt.

Nun hat gewiß Euphorion für Faust eine hohe und edle
Sendung zu erfüllen. Denn Euphorion ist es, dessen Tod Faust
von Helena scheidet und ihn mahnend über die Stufe der gewonnenen Schönheit hinaus zur höheren und letzten Stufe

seines Erdenweges, zur Stufe der Tat emporführt. Denn die Vermählung mit Helena bringt für Faust die Gefahr, daß er im Besitz und Genuß der Schönheit seines Strebens vergißt und zu diesem Augenblicke sagt: «Verweile doch, du bist so schön.» Euphorion ist es, der ihn von dieser Gefahr befreit und sein faustisches Streben neu erweckt. Das war ja auch Byrons epochale Sendung in Europa gewesen, daß er der «Kunstperiode» ein Ende machte, den Vorstoß in das Leben der Tat beispielhaft wagte und damit überhaupt eine Wandlung des europäischen Geistes einleitete. Goethes «Faust» war freilich schon von Anfang an eine Mahnung zur Tat, die mit den Worten des Erdgeistes beginnt und nur von Faust noch nicht verstanden wird. Die Mahnung zur Tat klingt wie ein Leitmotiv immer wieder im Laufe der Faustdichtung auf. In Byron also trat Goethe nur leiblich sichtbar vor Augen, wohin er seinen Faust führen sollte. Goethe war es demnach, der im Grunde diese Wandlung des europäischen Geistes bewirkte. Byron-Euphorion, der nicht mehr Dichter, sondern Täter und Kämpfer sein will!

Aber ahnungsvoll prophetisch sieht der alte Goethe, wohin der Weg Europas gehen wird, und es ist ein anderer Weg, den er mit dem zweiten Teil des «Faust» zu führen dachte. Die Faustische Endtat wird eine andere sein als die blutig-kriegerische, die Euphorion ersehnt. Die Faustische Tat wird die zivilisatorische sein, die dem grenzenlosen Meere Grenzen setzt und ihm fruchtbares Land zur Siedlung für Millionen Menschen abgewinnt. Goethe war nicht wie Byron der Empörer gegen das Christentum, weil es den Menschen vor Gott erniedrigt. Mit jener, erst durch Byron entfesselten Bewegung, die in England den Namen «Satanismus» erhielt, hatte Goethe nichts zu tun, wenn auch sein Faust ihr ursprünglicher Ahne war. Goethe war nicht wie Byron der Antichrist. Für ihn löste sich der Gegensatz von Griechentum und Christentum in höherer Harmonie. Sie beide waren ihm zwei Führer zu dem gleichen Ziel, zwei Ströme, die in *ein* Meer münden. Das Griechentum war für ihn nicht in Prometheus, dem Empörer gegen die olympischen Götter, der den Menschen selbst vergotten wollte, repräsentiert, sondern in Apollo, dem Gott des edlen Maßes, der schönen Form, der ästhetischen Begrenzung. Die Antike grade half ihm ja zur Überwindung seines titanischen Übermenschentums. Das Christentum aber bedeutete ihm die Botschaft sittlicher Entsagung und Begrenzung, die Religion der Ehrfurcht. «Es ist mit der Freyheit», sagte Goethe einmal bei Gelegenheit Byrons, «ein wunderlich Ding ... Nicht das macht frey, daß wir nichts über uns anerkennen wollen, sondern eben, daß wir etwas verehren, das über uns ist. Denn indem wir es verehren, heben wir uns zu ihm hinauf ...[50]»

Nietzsche, der Erbe des Byronschen Geistes, für den ja auch Byron zu seinen geliebtesten Ahnen gehörte, sagte einmal, er habe kein Wort, sondern nur einen Blick für den, welcher vor Byrons «Manfred» von Goethes «Faust» zu sprechen wage. Man kann dieses Wort, jedoch in umgekehrtem Sinne, als Nietzsche es verstand, gelten lassen.

Lord Byrons Wandlung vom Dichter zum Täter und Kämpfer für die politische Befreiung Griechenlands vom Joch der Türken war ein leuchtendes Symbol für die neue Zeit des neunzehnten Jahrhunderts, und so wurde ihm von Goethe in der Gestalt Euphorions ein Denkmal gesetzt. Aber noch ein anderer Tatengenius hat zu Euphorion wesentliche Züge beigetragen. Es ist Napoleon, der wenige Jahre vor Byron, 1821, auf St. Helena gestorben war. Ich muß hier gestehen, daß ich mit nichts zu beweisen vermag, Goethe habe im Euphorion auch auf Napoleon hingedeutet. Aber alles, scheint mir, spricht dafür. Goethe hat Napoleon mit einer ungezähmten Naturkraft, einem Gewitter, einem Sturm, einem reißenden

Strom, einer Lawine verglichen. So freilich sieht Euphorion nicht aus, und Goethe hatte sich im Jahre der Völkerschlacht von Leipzig, mit dem «West-östlichen Divan», als Dichter nach Osten geflüchtet, um sich aus dem aufgewühlten Chaos Europas, dem revolutionären und kriegerischen, in dem er nicht mehr atmen und wirken konnte, zu retten und sich eine menschliche und dichterische Wiedergeburt zu bereiten:

> Nord und West und Süd zersplittern,
> Throne bersten, Reiche zittern,
> Flüchte du, im reinen Osten
> Patriarchenluft zu kosten.

Er stellt den persischen Dichter Hafis gegen den Eroberer Timur, wie er selbst gegen Napoleon stand. Er singt seine Liebe zu Marianne von Willemer und gibt dem Willen zur Macht keine Stimme. Er bekennt sich zu Napoleons kriegerischen Taten nicht. Friedrich Nietzsche hat einmal erklärt, das Ereignis, um dessentwillen Goethe seinen «Faust», ja das ganze Problem Mensch umgedacht habe, sei Napoleon gewesen. Das ist gewiß übertrieben, von Umdenken kann nicht die Rede sein. Der Erdgeist, der Tatengenius steht schon am Anfang des «Urfaust». Aber Goethe nannte Napoleon einmal einen «der productivsten Menschen, die je gelebt haben»[51]. Denn «man braucht nicht bloß Gedichte und Schauspiele zu machen, um productiv zu seyn, es giebt auch eine *Productivität der Taten*», die in manchen Fällen noch bedeutend höher steht, Taten nämlich, welche Folgen haben, von Dauer sind und zeugende Kraft besitzen, wie die Werke eines Mozart oder Phidias. Goethe hat den produktiven Taten Napoleons, einfach als solchen, seine staunende Bewunderung entgegengebracht. Er hat auch faustischen Geist in Napoleon erkannt. Napoleon lebte in der Idee. Er wollte das Unbedingte und ging daran zugrunde. Sein Leben wurde auf diese Weise eine Tragödie.

«Napoleon», so sagte Goethe einmal, «giebt uns ein Beyspiel, wie gefährlich es sey, sich ins Absolute zu erheben und alles der Ausführung einer Idee zu opfern[52].» Napoleon hat den «Faust» nicht gekannt. Aber Goethe hat bei seiner Begegnung mit Napoleon (Erfurt 1808) von Napoleon erfahren, wie gut er seinen «Werther» kannte. Er hat ihn siebenmal gelesen, am Fuße der Pyramiden wie auch auf St. Helena. Der «Werther» war sein ständiger Begleiter. Wie kommt Napoleon, so fragen wir, zu dem tatlosen Träumer Werther? Napoleon liebte besonders melancholische und träumerische Dichtung. Sie bedeutete ihm Entspannung seiner sonst so hochgespannten Energie. Im Falle Werthers aber ist noch mehr zu sagen. Werthers Leiden sprachen ihm von den Leiden des jungen, aus dem tätigen Leben ausgeschlossenen, bürgerlichen Menschen in dem alten, vorrevolutionären Europa. Werthers Klagen wurden von Napoleon als Anklagen gegen die alte, dumpfe, zu eng gewordene Welt gehört. Seine Träume von einer besseren Welt riefen nach Verwirklichung. Goethe konnte auch in Napoleon, wie in Byron, so etwas wie geistige Sohnschaft ahnen. Wie Byron vom «Faust», so war Napoleon vom «Werther» hingerissen. Goethe konnte erkennen, daß sein «Werther» nicht ganz unbeteiligt an dem Schicksal und der Wandlung des neuen, Napoleonischen Europa war. Aber er konnte seinen Faust nicht diesen Weg der kriegerischen Wandlung führen. Dagegen hat er in Napoleon noch etwas anderes gesehen. In einem Gedicht an die Kaiserin von Frankreich hat Goethe die Gestalt Napoleons mit diesen Worten gekennzeichnet:

> Worüber trüb Jahrhunderte gesonnen
> Er übersieht's in hellstem Geisteslicht,
> Das Kleinliche ist alles weggeronnen,
> Nur Meer und Erde haben hier Gewicht;

Ist jenem erst das Ufer abgewonnen,
Daß sich daran die stolze Woge bricht,
So tritt durch weisen Schluß, durch Machtgefechte,
Das feste Land in alle seine Rechte.

Worin aber besteht die Tat, zu der sich Faust als zu der letzten
Stufe seines irdischen Weges erheben wird? In der Eindäm-
mung des grenzenlosen Meeres, der Bändigung des unbändi-
gen Elementes, in der Fruchtbarmachung des unfruchtbaren
Strandes.

Daß sich aber Faust über die Schönheit Helenas hinaus zu
solcher Tat erheben kann, das ist nicht als eine Abkehr von
seinem Wege zu betrachten, sondern Faust ist grade durch das
Erlebnis Helenas zu solcher Tat fähig geworden, und als Helena nach dem Tode Euphorions wieder in die Unterwelt zu-
rückkehrt und nur ihr Kleid und ihr Schleier in den Armen
Fausts zurückbleiben, da wird Faust von Phorkyas gemahnt:

Halte fest, was dir von allem übrig blieb.
Das Kleid, laß es nicht los. Da zupfen schon
Dämonen an den Zipfeln, möchten gern
Zur Unterwelt es reißen. Halte fest!
Die Göttin ist's nicht mehr, die du verlorst,
Doch göttlich ist's. Bediene dich der hohen,
Unschätzbarn Gunst und hebe dich empor:
Es trägt dich über alles Gemeine rasch
Am Äther hin, so lange du dauern kannst.

Die Schönheit der antiken Form ist ja Begrenzung des Unendlichen, Bändigung alles chaotisch-wilden Elementes. Helenas
Gewande also lösen sich in Wolken auf, umgeben Faust, heben
ihn in die Höhe, ziehen mit ihm vorüber und lassen ihn auf
dem Gipfel eines Hochgebirges nieder. Die Wolke teilt sich,
wird zu Helenas Gestalt, während ein zarter, lichter Nebelstreif zu Gretchens Bilde wird:

Wie Seelenschönheit steigert sich die holde Form,
Löst sich nicht auf, erhebt sich in den Äther hin
Und zieht das Beste meines Innern mit sich fort.

Und später:
Mein Auge war aufs hohe Meer gezogen;
Es schwoll empor, sich in sich selbst zu türmen,
Dann ließ es nach und schüttete die Wogen,
Des flachen Ufers Breite zu bestürmen.
Und das verdroß mich; wie der Übermut
Den freien Geist, der alle Rechte schätzt,
Durch leidenschaftlich aufgeregtes Blut
Ins Mißbehagen des Gefühls versetzt.
Ich hielt's für Zufall, schärfte meinen Blick:
Die Woge stand und rollte dann zurück,
Entfernte sich vom stolz erreichten Ziel;
Die Stunde kommt, sie wiederholt das Spiel.
...
Sie schleicht heran, an abertausend Enden,
Unfruchtbar selbst, Unfruchtbarkeit zu spenden;
Nun schwillt's und wächst und rollt und überzieht
Der wüsten Strecke widerlich Gebiet.
Da herrschet Well' auf Welle kraftbegeistet,
Zieht sich zurück, und es ist nichts geleistet, –
Was zur Verzweiflung mich beängstigen könnte!
Zwecklose Kraft unbändiger Elemente!
Da wagt mein Geist, sich selbst zu überfliegen;
Hier möcht' ich kämpfen, dies möcht' ich besiegen.

Und es ist möglich! – Flutend wie sie sei,
An jedem Hügel schmiegt sie sich vorbei;
Sie mag sich noch so übermütig regen,
Geringe Höhe ragt ihr stolz entgegen,
Geringe Tiefe zieht sie mächtig an.

Da faßt' ich schnell im Geiste Plan auf Plan:
Erlange dir das köstliche Genießen,
Das herrische Meer vom Ufer auszuschließen,
Der feuchten Breite Grenzen zu verengen
Und, weit hinein, sie in sich selbst zu drängen.
Von Schritt zu Schritt wußt' ich mir's zu erörtern;
Das ist mein Wunsch, den wage zu befördern!

Die Gelegenheit dazu ist sogleich gegeben. Der Kaiser, der sein Reich in völlige Anarchie gestürzt hat und im Genuß erschlafft und erstarrt ist, wird von einem Gegenkaiser bekriegt und mit dem Verlust des Reiches bedroht. Faust soll ihm als sein Feldherr durch magische Künste, Gaukelei und phantomhaft-zauberische Heeresmassen den Sieg verschaffen und zur Belohnung mit dem Meeresstrand belehnt werden, so daß er seinen Wunsch verwirklichen kann.

Der fünfte Akt beginnt. Faust im höchsten Alter, wandelnd, nachdenkend, Herrscher über den gewaltigen Meeresstrand, ihn durch Dämme gegen das Meer schützend und erweiternd, durch Gräben und Kanäle fruchtbar machend, Häfen anlegend, Flotten bauend, im Besitz von Macht und Reichtum. Man hat in der Faustliteratur über diese Taten Fausts am Ende seines irdischen Weges viel gespottet und sie kritisiert. Das soll also das Ende, das glorreiche, dieses Weges sein. Faust als Großunternehmer, Kolonisator, mit Wasserbauten beschäftigt. Aber man vergißt dabei, daß diese Taten allgemein und symbolisch zu verstehen sind, als Urphänomene sozusagen von menschlicher Kraft, von Tatkraft überhaupt. Goethe hat einmal in seinen naturwissenschaftlichen Schriften, und zwar in dem «Versuch einer Witterungslehre», ein Kapitel: «Bändigen und Entlassen der Elemente» geschrieben, welches den allgemein-menschlichen Sinn solcher Tätigkeit offenbar zu machen vermag. «Es ist offenbar», so schreibt er hier, «daß das, was wir Elemente nennen, seinen eigenen wilden wüsten Gang zu nehmen immerhin den Trieb hat. Insofern sich nun der Mensch den Besitz der Erde ergriffen hat und ihn zu erhalten verpflichtet ist, muß er sich zum Widerstand bereiten und wachsam erhalten. Aber einzelne Vorsichtsmaßregeln sind keineswegs so wirksam, als wenn man dem Regellosen das Gesetz entgegenzustellen vermöchte, und hier hat uns die Natur auf's herrlichste vorgearbeitet und zwar indem sie ein gestaltetes Leben dem Gestaltlosen entgegensetzt.

Die Elemente daher sind als coloßale Gegner zu betrachten, mit denen wir ewig zu kämpfen haben, und sie nur durch die höchste Kraft des Geistes, durch Muth und List, im einzelnen Fall bewältigen.

Die Elemente sind die Willkür selbst zu nennen; die Erde möchte sich des Wassers immerfort bemächtigen und es zur Solidescenz zwingen, als Erde, Fels oder Eis, in ihren Umfang nöthigen. Ebenso unruhig möchte das Wasser die Erde, die es ungern verließ, wieder in seinen Abgrund reißen. Die Luft, die uns freundlich umhüllen und beleben sollte, ras't auf einmal als Sturm daher, uns niederzuschmettern und zu ersticken. Das Feuer ergreift unaufhaltsam, was von Brennbarem, Schmelzbarem zu erreichen ist. Diese Betrachtungen schlagen uns nieder, indem wir solche so oft bei großem, unersetzlichem Unheil anzustellen haben. Herz und Geist erhebend ist dagegen, wenn man zu schauen kommt, was der Mensch seinerseits gethan hat, sich zu waffnen, zu wehren, ja seinen Feind als Sklaven zu benutzen.»

Die Frage ist nun, ob Faust in Macht, Reichtum und Besitz zu diesem Augenblicke sagen wird: «Verweile doch, du bist so schön». Denn die Gefahr ist groß, daß Reichtum und Macht den Menschen zur Erstarrung und Erschlaffung bringen. Am Kaiser wurde es offenbar. Aber Faust wird von einem neuen Stachel zur Unzufriedenheit gereizt. Denn noch gibt es etwas, was ihm die Freude an seinem unermeßlichen Besitz verdirbt. Er will sein Reich mit einem Blick überschauen können, des Menschengeistes Meisterstück. Aber grade dort, wo er in einigen Lindenbäumen von Ast zu Ast Gerüste bauen und einen hohen Aussichtsturm, ein Luginsland errichten will, hat sich ein altes, frommes Ehepaar, Philemon und Baucis, angesiedelt und verdirbt mit seinem Besitz des Lindenraums, einer Hütte und eines Kirchleins den ganzen Weltbesitz Fausts. Er gibt Befehl, das alte Pärchen fortzuschaffen und ihm eine andere Wohnung anzuweisen. Aber der Befehl wird von Mephisto nicht in seinem Sinne ausgeführt. Mephisto läßt Hütte, Kirche und Lindenbäume verbrennen. Philemon und Baucis kommen dabei ums Leben. So hat denn Faust die Vollendung seines Weltbesitzes nur durch schwere Schuld, durch die Vernichtung armer, alter Menschen, durch frevelhaften Mißbrauch seiner Macht erreicht. Aus dem Rauch der verbrannten Hütte, des Kirchleins und der Linden bilden sich schattenhafte Wesen und nahen sich Fausts Palast: Vier graue Weiber, der Mangel, die Not, die Schuld und die Sorge. Mangel und Schuld und Not können wohl nicht in das Haus des Reichen hinein. Denn Mangel und Not berühren den Reichen nicht, und auch die Schuld, die gewiß nicht, wie man manchmal gedeutet hat, im Sinn von Schulden zu verstehen ist, kann dem Reichen nichts anhaben, weil die Gerechtigkeit vor seiner Türe halt machen muß. Aber die Sorge schleicht sich durchs Schlüsselloch ein, und damit tritt die größte Gefahr an Faust heran. Er könnte sie durch magischen Zauber verscheuchen. Er tut es nicht. Das ist ein tief bedeutsamer Schritt seines Stufenweges. Er, der sich einst der Magie ergeben hat, weil seine einfache Menschenkraft seine Wünsche nicht zu erfüllen vermochte, der alles erreichte durch Magie, Faust, dem selbst die griechische Antike diese Überwindung

magischen Menschentums nicht zu bringen vermochte, verzichtet im Anblick des drohenden Gespenstes der Sorge auf
die Rettung durch Zauberspruch. Er entfernt Magie von
seinem Pfade, um der Sorge als Mensch, als Mann entgegen-
zutreten. Aber auch das ist keine plötzliche Wandlung. Schon
in der Hexenküche heißt es: «Mir widersteht das tolle Zau-
berwesen»; und jetzt:

> Könnt' ich Magie von meinem Pfad entfernen,
> Die Zaubersprüche ganz und gar verlernen,
> Stünd' ich, Natur, vor dir ein Mann allein,
> Da wär's der Mühe wert, ein Mensch zu sein.

Jetzt, am Ende seines Lebens, findet Faust die Kraft, auf die Magie zu verzichten. Er hütet sich also, die Sorge mit einem Zauberspruch zu verscheuchen. Kann er aber so, dem reinen nicht
magischen Menschentum vertrauend, der Sorge widerstehen?

Wer ist nun die Sorge?

> Wen ich einmal mir besitze,
> Dem ist alle Welt nichts nütze;
> Ewiges Düstre steigt herunter,
> Sonne geht nicht auf noch unter,
> Bei vollkommnen äußern Sinnen
> Wohnen Finsternisse drinnen,
> Und er weiß von allen Schätzen
> Sich nicht in Besitz zu setzen.
> Glück und Unglück wird zur Grille,
> Er verhungert in der Fülle;
> Sei es Wonne, sei es Plage,
> Schiebt er's zu dem andern Tage,
> Ist der Zukunft nur gewärtig,
> Und so wird er niemals fertig.
> ...

142

Soll er gehen, soll er kommen?
Der Entschluß ist ihm genommen;
Auf gebahnten Weges Mitte
Wankt er tastend halbe Schritte.
Er verliert sich immer tiefer,
Siehet alle Dinge schiefer,
Sich und andre lästig drückend,
Atemholend und erstickend;
Nicht erstickt und ohne Leben,
Nicht verzweifelnd, nicht ergeben.
So ein unaufhaltsam Rollen,
Schmerzlich Lassen, widrig Sollen,
Bald Befreien, bald Erdrücken,
Halber Schlaf und schlecht Erquicken
Heftet ihn an seine Stelle
Und bereitet ihn zur Hölle.

Man hat an der Sorge viel herumgedeutet. Aber solche Deute-
leien sind, wie mir scheint, gar nicht am Platz. Das Gespenst der
Sorge hat sich aus dem Rauch der verbrannten Hütte von Philemon und Baucis gebildet, und wenn Faust auch Tausch und
keinen Raub wollte, ist er doch am Untergang des alten Paares
schuldig, und so tritt die Sorge an ihn heran und bringt ihn in
Gefahr, daß er in seinem Handeln und seinen Entschlüssen unsicher wird und die Folgen seiner Tat bedenkt. Die Sorge also
ist die Bedenklichkeit, der Zweifel, die Angst, was das Tun des
Menschen für Folgen in der Zukunft haben könnte. Sie lähmt
die Kraft zum Entschluß, die Tatkraft. Der Täter darf nicht
schwanken, nicht unsicher sein aus Furcht, was werden könnte, nicht Zweifel am Wert und Sinn der Tat empfinden. Das ist
die Gefahr, die an Faust nun herantritt. Nicht daß sein Streben
erstarrt und erschlafft und er zum Augenblick sagen würde
«verweile doch», aber der Entschluß zur Tat, die Tatkraft und

das Streben sind in Gefahr, durch die Sorge gelähmt zu werden und zu erstarren. Aber Faust erliegt dieser Gefahr nicht, und es ist eine völlig unsinnige Deutung, daß die Sorge, welche Faust anhaucht und blind macht, sich damit wirklich seiner bemächtigt. Nein, Faust besiegt die Gefahr, die letzte, die an ihn herantritt. Die lähmende Sorge gewinnt nicht Macht über ihn. Die Sorge haucht ihn an und macht ihn blind. Aber durch die Erblindung grade fällt das letzte Hemmnis seiner Tatkraft fort. Wer Täter sein will, darf nicht mehr schauender Mensch sein. Denn zwischen Schau und Tat besteht der Widerspruch. Solange der Mensch noch schauend die Schönheit der Welt genießen kann, hat er den letzten Schritt vom Genuß zur Tat noch nicht getan. Faust ist nach Helenas Verlust über den Genuß der Schönheit emporgestiegen. Aber auch solange der Mensch den eigenen Besitz und das, was alles er getan und erreicht hat, schauend, überschauend genießen möchte, ist er in der Gefahr, zu erstarren und zu erschlaffen. In dieser Gefahr befand sich Faust, als er Philemon und Baucis zerstörte, um auf ihrem Besitz einen hohen Aussichtsturm zu errichten, zu sehen, was alles er getan, zu überschauen mit einem Blick des Menschengeistes Meisterstück. Aber Faust erliegt der Sorge nicht. Wie darf man denn auch von einem Menschen, dessen äußerer Sinn erlischt, dem aber grade im Augenblick der Erblindung im Innern helles Licht zu leuchten beginnt, sagen, daß er der Sorge verfallen sei. Goethe hat dem erblindeten Faust als Kontrastfigur die Gestalt des Turmwächters Lynkeus beigegeben, um den Sinn von Fausts Erblindung ganz zu offenbaren. Das Lied des Türmers Lynkeus auf der Schloßwarte lautet so:

Zum Sehen geboren,
Zum Schauen bestellt,
Dem Turme geschworen,
Gefällt mir die Welt.

144

Ich blick' in die Ferne,
Ich seh' in der Näh'
Den Mond und die Sterne,
Den Wald und das Reh.
So seh' ich in allen
Die ewige Zier,
Und wie mir 's gefallen,
Gefall' ich auch mir.
Ihr glücklichen Augen,
Was je ihr gesehn,
Es sei wie es wolle,
Es war doch so schön!

Man pflegt dieses hohe Lied des Lynkeus auf des Sehen und Schauen als Audruck der Goetheschen Weltanschauung zu deuten. Das ist nicht aufrechtzuerhalten. Wenigstens nicht für die Zeit, da dies Lied entstand. Goethe hat mannigfache Wandlungen in der Schätzung des Auges und im Vertrauen auf das Auge durchgemacht. Der junge Goethe hatte einmal unter dem Eindruck von Herders Schrift «Plastik» den Wunsch ausgesprochen, blind zu sein und die Welt nur durch das Gefühl zu ertasten. In der Zeit seines Hochklassizismus war freilich das Auge, das Gesicht, an die oberste Stelle der menschlichen Sinne getreten. «Das Gesicht», so schreibt er damals, «ist der edelste Sinn, die andern vier belehren uns nur durch die Organe des Tacts, wir hören, wir fühlen, riechen und betasten alles durch Berührung; das Gesicht aber steht unendlich höher, verfeint sich über die Materie und nähert sich den Fähigkeiten des Geistes[53].» Erst mit zunehmendem Alter erhöhte sich bei Goethe der Wert des inneren Auges, des inneren Lichtes. Als Lynkeus zum erstenmal vor Helena erscheint, vergißt er, von ihrer Schönheit ganz geblendet, seine Türmerpflicht, die Ankunft Helenas in Fausts Ritterburg anzukündigen. Als Lynkeus das hohe Lied des Sehens und Schauens gesungen hat, folgt sogleich seine Klage um das Schicksal jener alten Leute, Philemon und Baucis, das er mit ansehen mußte, ohne Hilfe bringen zu können. Lynkeus, der Augenmensch, ist die Kontrastfigur zu dem erblindeten Faust, in dessen Innern aber helles Licht leuchtet.

Faust (erblindet):
Die Nacht scheint tiefer tief hereinzudringen,
Allein im Innern leuchtet helles Licht;
Was ich gedacht, ich eil' es zu vollbringen;
Des Herren Wort, es gibt allein Gewicht.
Vom Lager auf, ihr Knechte! Mann für Mann!
Laßt glücklich schauen, was ich kühn ersann.
...
Der blinde Faust:
Ein Sumpf zieht am Gebirge hin,
Verpestet alles schon Errungene;
Den faulen Pfuhl auch abzuziehn,
Das Letzte wär' das Höchsterrungene.
Eröffn' ich Räume vielen Millionen,
Nicht sicher zwar, doch tätig-frei zu wohnen.
Grün das Gefilde, fruchtbar; Mensch und Herde
Sogleich behaglich auf der neusten Erde,
Gleich angesiedelt an des Hügels Kraft,
Den aufgewälzt kühn-emsige Völkerschaft.
Im Innern hier ein paradiesisch Land,
Da rase draußen Flut bis auf zum Rand,
Und wie sie nascht, gewaltsam einzuschießen,
Gemeindrang eilt, die Lücke zu verschießen.
Ja! diesem Sinne bin ich ganz ergeben,
Das ist der Weisheit letzter Schluß:

Nur der verdient sich Freiheit wie das Leben,
Der täglich sie erobern muß.
Und so verbringt, umrungen von Gefahr,
Hier Kindheit, Mann und Greis sein tüchtig Jahr.
Solch ein Gewimmel möcht' ich sehn,
Auf freiem Grund mit freiem Volke stehn.
Zum Augenblicke dürft' ich sagen:
Verweile doch, du bist so schön!
Es kann die Spur von meinen Erdetagen
Nicht in Äonen untergehn. –
Im Vorgefühl von solchem hohen Glück
Genieß' ich jetzt den höchsten Augenblick.

Eine neue und letzte Wandlung hat sich in Faust vollzogen.
Als er den Entschluß gefaßt hatte, das Meer einzudämmen
und den Meeresstrand fruchtbar zu machen, da sollte diese
Tat nur seiner Selbstverwirklichung dienen. Er dachte nur an
sich selbst. Jetzt aber, wo er von der Sorge angehaucht ist,
erwacht auch die Sorge um die Zukunft seiner Mitmenschen.
Die große Wendung zum *Du* erfolgt. Jetzt will er mit seiner
Tat für viele Millionen Räume eröffnen, und wenn draußen
die Flut bis auf zum Rande rast und ins Innere des paradiesi-
schen Landes einzuschießen droht, soll nun Gemeindrang
aller die Lücke zu verschließen eilen.

Ja! diesem Sinne bin ich ganz ergeben,
Das ist der Weisheit letzter Schluß:
Nur der verdient sich Freiheit wie das Leben,
Der täglich sie erobern muß.
Und so verbringt, umrungen von Gefahr,
Hier Kindheit, Mann und Greis sein tüchtig Jahr.
Solch ein Gewimmel möcht' ich sehn,
Auf freiem Grund mit freiem Volke stehn.

Das ist die eine Wandlung. Die andere aber ist, daß er zu einem solchen Augenblicke sagen dürfte: «Verweile doch, du bist so schön!» Ja daß er im Vorgefühl von solchem hohen Glück schon jetzt den höchsten Augenblick genießt. Das verhängnisvolle Wort scheint gefallen zu sein. Faust, der hundertjährige, von der Sorge angehaucht und erblindet, aber von innerem Licht erleuchtet, verkündet in einer großartigen Vision ein paradiesisches Leben, das er dem Volk der Zukunft schaffen möchte. Dann *dürfte* er zum Augenblicke sagen:

> Verweile doch, du bist so schön!
> Es kann die Spur von meinen Erdetagen
> Nicht in Äonen untergehn. –
> Im Vorgefühl von solchem hohen Glück
> Genieß' ich jetzt den höchsten Augenblick.

Faust sinkt zurück, die Lemuren fassen ihn auf und legen ihn auf den Boden. Er hat das verhängnisvolle Wort gesprochen und also die Wette mit Mephisto, so scheint es, verloren. Ganz eindeutig ist das freilich nicht. «Zum Augenblicke *dürft'* ich sagen: / Verweile doch, du bist so schön!» ... «Im Vorgefühl von solchem hohen Glück / Genieß' ich jetzt den höchsten Augenblick.» Welch seltsam konditionale Form! Und: «Im *Vorgefühl* von solchem hohen Glück / Genieß' ich jetzt den höchsten Augenblick.» Dieser Genuß ist ja doch nur das Vorgefühl eines zukünftigen, sehr fernen Augenblickes, zu dem er sagen *dürfte:* «Verweile doch, du bist so schön!»

Das heißt doch also in Wahrheit: Faust ist auch in diesem Augenblicke noch Faust geblieben, der ewig in die Zukunft strebende Faust. Der Augenblick, zu dem er sagen *dürfte:* «Verweile doch, du bist so schön!», ist nicht ein gegenwärtiger, sondern ein zukünftiger, in dem er auf freiem Grund mit freiem Volke stehen würde. Aber wäre dieser höchste Augenblick auch gegenwärtig und nicht erst zukünftig, auch dann ist es zweifelhaft, ob Faust die Wette verloren hätte.

Die Wette hatte so gelautet:

Faust:

> Werd' ich beruhigt je mich auf ein Faulbett legen,
> So sei es gleich um mich getan!
> Kannst du mich schmeichelnd je belügen,
> Daß ich mir selbst gefallen mag,
> Kannst du mich mit Genuß betrügen,
> Das sei für mich der letzte Tag!
> Die Wette biet' ich!

Mephistopheles:

> Topp!

Faust:

> Und Schlag auf Schlag!
> Werd' ich zum Augenblicke sagen:
> Verweile doch! du bist so schön!
> Dann magst du mich in Fesseln schlagen,
> Dann will ich gern zugrunde gehn!
> Dann mag die Totenglocke schallen,
> Dann bist du deines Dienstes frei,
> Die Uhr mag stehn, der Zeiger fallen,
> Es sei die Zeit für mich vorbei!

In *buchstäblichem* Sinn hat Faust diese Wette verloren, als er das Wort: «Verweile doch, du bist so schön» gesprochen hat, und so sinkt er in dem Augenblick tot zurück. Die Zeit ist für ihn vorbei. Er hatte einst die Wette verlieren *wollen*, um von seiner ewig-faustischen Unrast befreit zu werden und zu erstarren und zu erschlaffen. Nun ist es ihm im buchstäblichen Sinne gelungen. Aber Goethe selbst schrieb einmal an einen jungen Menschen (Schubarth), der das Ende des damals noch unvollendeten «Faust» zu entwickeln versuchte: «Den Ausgang haben Sie richtig gefühlt. Mephisto darf seine Wette nur halb gewinnen, und wenn die halbe Schuld auf Faust ruhen bleibt, so tritt das Begnadigungsrecht des alten Herrn sogleich heran, zum heitersten Schluß des Ganzen[54].» Faust hat die Wette nicht ganz verloren. Denn der Augenblick, den er festhalten möchte, ist ja nicht ein Augenblick des erstarrenden, erschlaffenden Genusses, sondern der schöpferischen, Zukunft schaffenden, fruchtbaren Liebestat. Darum kann der Herr sein Recht der Gnade üben, und als schon der Höllenrachen sich auftut und Mephisto von der Seele Fausts Besitz ergreifen will, da wird diese Seele ihm von rosenstreuenden Engeln entrissen. Und nun beginnt mit der Szene: «Bergschluchten» die Erlösung der Faustischen Seele, ihre zunehmende Reinigung von allen irdischen Flocken und ihr Emporsteigen in die überirdischen Regionen. Zu den Worten, welche die Engel («schwebend in der höheren Atmosphäre, Faustens Unsterbliches tragend») singen:

Gerettet ist das edle Glied
Der Geisterwelt vom Bösen,
«Wer immer strebend sich bemüht,
Den können wir erlösen.»
Und hat an ihm die Liebe gar
Von oben teilgenommen,
Begegnet ihm die selige Schar
Mit herzlichem Willkommen

zu diesen Worten hat Goethe Eckermann gegenüber bemerkt: «In diesen Versen ... ist der Schlüssel zu Faust's Rettung enthalten. In Faust selber eine immer höhere und reinere Thätigkeit bis ans Ende, und von oben die ihm zu Hülfe kommende ewige Liebe. Es steht dieses mit unserer religiösen Vorstellung durchaus in Harmonie, nach welcher wir nicht bloß durch eigene Kraft selig werden, sondern durch die hinzukommende göttliche Gnade[55].» Die Verse:

«Wer immer strebend sich bemüht,
Den können wir erlösen»

sind durch Anführungszeichen hervorgehoben und gleichsam damit als Zitat der den Menschen von Gott verkündeten Heilsbedingung, aber auch als diejenigen Worte, welche die Grundidee der ganzen Faustdichtung zum Ausdruck bringen. Der Schluß, wo es mit der geretteten Seele nach oben geht, war für Goethe nach seinen eigenen Worten sehr schwer zu gestalten, und er hätte sich, wie er zu Eckermann sagte, bei so übersinnlichen, kaum zu ahnenden Dingen ... sehr leicht im Vagen verlieren können, wenn er nicht seinen «poetischen Intentionen, durch die scharf umrissenen christlich-kirchlichen Figuren und Vorstellungen, eine wohltätig beschränkende Form und Festigkeit gegeben hätte»[56]. Man muß diese Worte Goethes zu Eckermann immer im Gedächtnis behalten, um gegen die Angriffe auf den Katholizismus des «Faust»-Schlusses, wie sie besonders durch den Ästhetiker Friedrich Theodor Vischer erhoben wurden, gewappnet zu sein. Goethe wurde durch Dantes «Göttliche Komödie», durch ein Bild des Campo Santo in Pisa und die Vorstellungswelt des Katholizismus überhaupt auf diesen Weg gewiesen, auf dem die gestaltlos-übersinnliche Welt zu einer schaubaren, ja plastischen Gestaltenwelt werden konnte, und so blieb er bis zum Schluß seiner Kunst und seinem Charakter treu.

Die Landschaft, in der sich die Erlösung Fausts vollzieht, ist unten noch wilde, düstere Natur: Bergschluchten, Wald, Fels, Einöde, brausende Wasserstürze, Gewitter. Nach oben hin wird sie klarer und klarer, bis vom höchsten Felsen aus die Aussicht in den unendlichen und reinen Himmelsäther frei wird. In dieser von unten nach oben sich verklärenden Landschaft «gebirgauf verteilt»: die heiligen Anachoreten, die christlichen Einsiedler: Pater ecstaticus, auf- und abschwebend. In der tiefen Region sodann der Pater profundus, dessen Name an Bernhard von Clairvaux erinnern mag. In der mittleren Region der Pater Seraphicus, der seinen Namen mit Franz von Assisi gemeinsam hat. In der obersten Region, in der höchsten, reinlichsten Zelle der Doctor Marianus (Bartolomeo von Vicenza, der Gründer des Ordens der Marianer, Ritter der heiligen Jungfrau). Diese heiligen Gestalten sind auch geistig übereinander gestuft, der Pater profundus, die Allmacht der göttlichen Liebe wohl auch in der wilden Natur um sich herum erkennend, aber noch um Beschwichtigung der Sinne und Erleuchtung des Herzens betend. Der Pater Seraphicus, der nach einer Idee des Geistersehers Swedenborg die seligen Knaben, die gleich nach der Geburt starben und das Leben noch nicht erfuhren, in sich nimmt, damit sie durch seine Augen die Gegend erschauen können. Der Doktor Marianus, der, von reinster Liebe zu Maria erfüllt, sie in Entzückung anbetet. Über ihm schwebt Maria nach oben, vom Chor der Büßerinnen umgeben, der Magna peccatrix (aus dem Lukas-Evangelium), der Mulier Samaritana (aus dem Johannes-Evangelium), der Maria Aegyptiaca (aus den Acta Sanctorum) und Una Poenitentium, sonst Gretchen genannt. Gretchen aber, die einst im ersten Teil der Fausttragödie in letzter Verzweiflung zu Maria, der Mater dolorosa, gefleht hatte:

Ach neige,
Du Schmerzenreiche,
Dein Antlitz gnädig meiner Not!

Das Schwert im Herzen,
Mit tausend Schmerzen
Blickst auf zu deines Sohnes Tod.

betet nun, sich anschmiegend an Maria, die Mater gloriosa:

> Neige, neige,
> Du Ohnegleiche,
> Du Strahlenreiche,
> Dein Antlitz gnädig meinem Glück!
> Der früh Geliebte,
> Nicht mehr Getrübte,
> Er kommt zurück.

Die seligen Knaben, denen die Engel Faustens Unsterbliches übergeben, damit er sie, die vom Leben früh entfernt wurden, das Leben lehre, das Faust in allen Freuden und Schmerzen gelebt hat, nähern sich Maria, die von dem Pater Marianus mit gewaltiger Steigerung als Jungfrau, Mutter, Königin, Göttin angebetet wird. Gretchen aber bittet sie, daß sie ihr vergönne, dem früh Geliebten zu helfen. Und nun spricht Maria die einzigen Worte, die sie überhaupt in dieser Dichtung spricht, zu Gretchen:

> Komm! hebe dich zu höhern Sphären!
> Wenn er dich ahnet, folgt er nach.

So ist am Ende alles, wirklich alles ein einziges Aufwärts, ein Empor, ein Hinan, und «hinan» ist auch das letzte Wort der ganzen Dichtung.

Chorus mysticus:
> Alles Vergängliche
> Ist nur ein Gleichnis;
> Das Unzulängliche,
> Hier wird's Ereignis;
> Das Unbeschreibliche,
> Hier ist es getan;
> Das Ewig-Weibliche
> Zieht uns hinan.

Das Ewig-Weibliche! Goethe sagte einmal zu Riemer[57], er habe sich immer das Ideelle unter weiblicher Form oder unter der Form des Weibes vorgestellt. Das Ewig-Weibliche ist die reine Liebe. Sie war es, die einst in Gretchens irdischer Gestalt Faust hinanzuziehen begann. Sie ist es, die in Gretchens himmlischer Wesenhaftigkeit ihn endlich zur allerhöchsten Liebesmacht, zu Maria, hinanzieht. Die ganze Himmelfahrt Fausts ist wie ein einziges, hohes Lied der Liebe. Alle singen nur von ihr. Die heiligen Anachoreten, die seligen Knaben, die Engel, die Büßerinnen. So wie der Prolog im Himmel ein hohes Lied auf die göttliche Liebe war, so ist es nun auch der Epilog im Himmel.

Nun aber ist die entscheidende Frage zu stellen: Wie steht Goethe persönlich zu diesem Schluß der Faustdichtung, da es mit der geretteten Seele Fausts unendlich aufwärts geht. Hat Goethe an die Fortdauer über den Tod hinaus geglaubt? Hat er sie vorausgeahnt oder gewußt und hat er sein eigenes Erlebnis am Ende des zweiten Teiles «Faust» gestaltet? Man wird kaum annehmen können, daß er ohne das eigene Erlebnis und ohne sich mit Faust zu identifizieren, solch erschütternde Töne für die letzte Szene «Bergschluchten» gefunden hätte. Die Sprache dieses Endes bietet die Gewähr für seine innere Wahrheit. Aber man muß dies nun in vergleichender Betrachtung der Dichtung mit den lebendigen Zeugnissen der Briefe und Gespräche Goethes zu klären versuchen, und da zeigt sich denn eine so weitgehende Ähnlichkeit zwischen der Faustdichtung und den Äußerungen von Goethes Persönlichkeit, daß man an der Übereinstimmung von Dichtung und Leben nicht mehr zweifeln kann.

Ich habe gezeigt, daß all das dunkle Suchen und Streben Fausts, wohin es sich auch immer wendet, doch immer nur ein gleichsam versetzter, dunkler und verwirrter Trieb zu immer höherer und reinerer Tätigkeit ist. Bald am Anfang des ersten Teils der Tragödie wendet sich Faust an den Erdgeist, den Goethe selbst einmal als «Tatengenius» charakterisiert. Nur versteht Faust den Ruf des Geistes noch nicht, weil er selbst noch nicht ein Tatengenius ist, der er aber am Ende seines Weges sein wird. Noch bricht er vor dem Erdgeist zusammen, weil er seinen flammenden Anblick nicht auszuhalten vermag. Der Ruf zur Tat aber zieht sich wie ein Leitmotiv durch die ganze Dichtung. Der Chor der Engel im ersten Teil ruft Faust mit diesen Worten ins Leben zurück:

Christ ist erstanden,
Aus der Verwesung Schoß;
Reißet von Banden
Freudig euch los!
Tätig ihn preisenden,
Liebe beweisenden,
Brüderlich speisenden,
Predigend reisenden,
Wonne verheißenden
Euch ist der Meister nah.
Euch ist er da!

Als Faust das heilige Original des Johannesevangeliums in sein geliebtes Deutsch zu übertragen versucht, beginnt er:

Geschrieben steht: «Im Anfang war das *Wort!*»
Hier stock' ich schon! Wer hilft mir weiter fort?
Ich kann das *Wort* so hoch unmöglich schätzen,
Ich muß es anders übersetzen,
Wenn ich vom Geiste recht erleuchtet bin.
Geschrieben steht: Im Anfang war der *Sinn.*
Bedenke wohl die erste Zeile,
Daß deine Feder sich nicht übereile!
Ist es der *Sinn,* der alles wirkt und schafft?
Es sollte stehn: Im Anfang war die *Kraft!*

Doch, auch indem ich dieses niederschreibe,
Schon warnt mich was, daß ich dabei nicht bleibe.
Mir hilft der Geist! Auf einmal seh' ich Rat
Und schreibe getrost: Im Anfang war die *Tat!*

Im zweiten Teil der Tragödie klingt das Tatmotiv immer
wieder auf. «Die Tat ist alles, nichts der Ruhm.» «Dieser
Erdekreis gewährt noch Raum zu großen Taten.» Der letzte
Reim auf den Schlußvers der ganzen Faustdichtung ist das
Wort: «getan».

Das Unbeschreibliche,
Hier ist es getan;
Das Ewig-Weibliche
Zieht uns hinan.

Auch in dem Worte «Streben» klingt das Tatmotiv im Faust
immer wieder auf:

«Es irrt der Mensch, so lang' er strebt.»

«Zum höchsten Dasein immerfort zu streben.»

«Wer immer strebend sich bemüht,
Den können wir erlösen.»

Für Goethes eigene, persönliche Auffassung seiner Fortdauer über den Tod hinaus zeugen viele Stellen, von denen
einige hier angeführt sein mögen. Zu Eckermann: «Die
Überzeugung unserer Fortdauer entspringt mir aus dem Begriff der Thätigkeit; denn wenn ich bis an mein Ende rastlos
wirke, so ist die Natur verpflichtet, mir eine andere Form des
Daseyns anzuweisen, wenn die jetzige meinen Geist nicht
ferner auszuhalten vermag[58].» Als Goethes Freund, der Musi-
ker Zelter, vom Tode seines Sohnes schwer getroffen wurde,
schrieb Goethe an ihn, um ihn zu trösten: «Wirken wir fort,
bis wir vor oder nacheinander, vom Weltgeist berufen, in den

Äther zurückkehren! Möge dann der ewig Lebendige uns neue Thätigkeiten, denen analog in welchen wir uns schon erprobt, nicht versagen! Fügt er sodann Erinnerung und Nachgefühl des Rechten und Guten, was wir hier schon gewollt und geleistet, väterlich hinzu; so würden wir gewiß nur desto rascher in die Kämme des Weltgetriebes eingreifen.

Die entelechische Monade muß sich nur in rastloser Thätigkeit erhalten; wird dies zur andern Natur, so kann es ihr in Ewigkeit nicht an Beschäftigung fehlen[59].»

«Jede Entelechie nämlich ist ein Stück Ewigkeit», steht in den Gesprächen mit Eckermann, «und die paar Jahre die sie mit dem irdischen Körper verbunden ist, machen sie nicht alt[60].» Und ein andermal: «Ich zweifle nicht an unserer Fortdauer, denn die Natur kann die Entelechie nicht entbehren. Aber wir sind nicht auf gleiche Weise unsterblich, und um sich künftig als große Entelechie zu manifestiren, muß man auch eine seyn[61].»

Ich bin mit der Interpretation des «Faust» zu Ende gekommen und habe noch einige überschauende und zusammenfassende Gedanken beizufügen, wobei ich in erster Linie von einer persönlichen Erinnerung ausgehen möchte. Im Jahre 1900 erschien im Goethejahrbuch eine Abhandlung von Hermann Türck über die Bedeutung der Magie und Sorge in Goethes «Faust» und 1901 eine Schrift des gleichen Verfassers: «Eine neue Fausterklärung». Diese beiden Arbeiten bedeuteten damals eine wahre Umwälzung in der Auffassung von Goethes «Faust» und riefen denn auch ein sensationelles Aufsehen hervor. Das deutsche Bürgertum hatte sich bis dahin zu der Auffassung bekannt, daß Goethe in seinem «Faust» die Entwicklungsgeschichte eines Menschen oder *des* Menschen als ständigen Aufstieg zu immer höheren Stufen gestaltet habe. Dieses Faustbild entsprach dem Fortschrittsglauben und der Perfektibilitätsidee des 19. Jahrhunderts. Es wurde nun damals durch die Arbeiten von Türck schwer erschüttert. Denn hier wurde zu zeigen versucht, daß der alternde Faust, von der Sorge ergriffen und von ihrem Anhauch erblindet, seines genialen Übermenschentums verlustig geht und zur Stufe eines gemeinen Menschen, eines Philisters und Banausen, eines trivialen Unternehmers und materiellen Ausbeuters herabsinkt. Fausts Absage an die Magie bedeutet den Verzicht auf das Genie und dessen völligen Verlust. Denn Magie ist in der Auffassung dieses Interpreten mit Genie identisch.

Eine ähnliche Abwertung des Goetheschen «Faust» wurde noch einmal im 20. Jahrhundert (1933) durch das Buch von Wilhelm Böhm: «Faust der Unfaustische» unternommen. Diese abwertende Beurteilung wurde zwar von der Wissenschaft gebührend zurückgewiesen, spukt aber doch auch heute noch weiter fort und besonders im Existentialismus, dessen Abwertung des Menschen eine solche Interpretation sehr entsprechen muß.

Indessen beruht diese ganze Auffassung, daß Faust am Ende ein Herabsinkender, auf das gemeine Menschenniveau Herabsinkender sei, auf der Annahme, daß Faust am Ende der Sorge verfalle. Dies ist durchaus falsch und kann nicht scharf genug zurückgewiesen werden. Faust erliegt der Sorge nicht. Sie kann ihn anhauchen und blind machen. Aber sein inneres Licht leuchtet grade um so heller auf.

Goethe selbst hat sich so eindeutig und entschieden für eine Höherentwicklung Fausts im zweiten Teile ausgesprochen, daß alle Einwände von Faustinterpreten dem gegenüber zunichte werden müssen.

Gerettet ist das edle Glied
Der Geisterwelt vom Bösen,
«Wer immer strebend sich bemüht,
Den können wir erlösen.»

Und hat an ihm die Liebe gar
Von oben teilgenommen,
Begegnet ihm die selige Schar
Mit herzlichem Willkommen.

«In diesen Versen», sagte Goethe, «ist der Schlüssel zu Faust's
Rettung enthalten. In Faust selber eine immer höhere und
reinere Thätigkeit bis ans Ende, und von oben die ihm zu
Hülfe kommende ewige Liebe[62].»

Ein aus schweren Verirrungen immerfort zum Besseren
aufstrebender Mensch ist nach Goethe zu erlösen[63]. In einem
Brief an Schubarth: «Es giebt noch manche herrliche, reale
und phantastische Irrthümer auf Erden, in welchen der arme
Mensch sich edler würdiger, höher als im ersten, gemeinen
Theile geschieht, verlieren dürfte.

Durch diese sollte unser Freund Faust sich auch durchwür-
gen[64].»

«Wie in dem zweiten Theile alles auf einer höhern und edlern
Stufe gefunden wird[65].»

«Darüber aber mußte ich mich wundern, daß diejenigen,
welche eine Fortsetzung und Ergänzung meines Fragments
unternahmen, nicht auf den so nahe liegenden Gedanken gekommen sind, es müsse die Bearbeitung eines zweiten Theils
sich nothwendig aus der bisherigen kümmerlichen Sphäre
ganz erheben und einen solchen Mann in höheren Regionen,
durch würdigere Verhältnisse durchführen[66].»

Edler, reiner, würdiger, höher: dies sind die immer wiederholten Bezeichnungen, mit denen Goethe selbst die Aufwärts-
bewegung des immer strebend sich bemühenden Faust charakterisiert.

Man darf indessen auch nie vergessen, daß dies immer strebende Sich-Bemühen Fausts, das ihn nie zur Ruhe und endgültigen Befriedigung kommen läßt, sondern ihn zur Magie,

zum Sinnengenuß, zum Schönheitsverlangen, zur Tätigkeit
führt, nicht als ein bequemes Ja-Sagen und eine optimistische
Anerkennung des Fortschritts- und Vervollkommnungsglau-
bens aufgefaßt werden kann. Goethes «Faust» ist eine *Tragödie*,
und wenn das strebende Sich-Bemühen als die eigentlich
menschliche Bestimmung und als das göttliche Teil des Menschen verkündet wird, so wird doch grade das *Streben* als ein
Irren offenbart: «Es irrt der Mensch, so lang' er strebt.» Und
wenn das Streben auch höher, edler, reiner und würdiger
wird, so bleibt es eben doch ein Irren und bleibt es auch, wenn
es sich auf der letzten Stufe von Fausts irdischem Wege als
schöpferische Tätigkeit offenbart. Es ist nicht einfach, etwas
Genaueres und eindeutig Bestimmtes über das auszusagen, was
Goethe unter dem so oft von ihm gebrauchten Wort «Tätigkeit» und der damit erhobenen Forderung an den Menschen
gemeint hat. Im «Prolog im Himmel» sagt der Herr:

> Des Menschen Tätigkeit kann allzuleicht erschlaffen,
> Er liebt sich bald die unbedingte Ruh;
> Drum geb' ich gern ihm den Gesellen zu,
> Der reizt und wirkt und muß als Teufel schaffen. –

Tätigkeit ist hier also dem Zustand der Ruhe und Erschlaffung entgegengesetzt, aber man muß sich davor hüten, unter
Tätigkeit nur eine praktische zu verstehen. Für Goethe bedeutete das künstlerische Schaffen und Gestalten, die Schöpfung eines kleinsten Gedichtes, eine vollgültige Tätigkeit. Die
wissenschaftliche Erforschung der Wahrheit, um die er sich
in seiner «Farbenlehre» so unermüdlich bemühte, war auch
in seinem Sinne Tätigkeit. Die Faustische Tat, den Kampf
gegen das unfruchtbare und sinnlose Element aufzunehmen
und dem Meere neues Land für Millionen Menschen abzuge-
winnen, ist nur das allgemeine Symbol für menschenwürdige
Tätigkeit überhaupt. Man kann alles sinnvolle, fruchtbare,

schöpferische Tun als menschenwürdige Tätigkeit im Goetheschen Sinne bezeichnen. Daß Goethe aber mit seinem Le-
bensgedicht, dem «Faust», das hohe Lied auf die schöpferische Tätigkeit angestimmt hat, weist darauf hin, daß er von
der griechischen Entelechie-Idee zutiefst ergriffen war: Orga-
nisches Leben sei dort zu finden, wo ein durch rastlose Tätigkeit zu verwirklichender Auftrag, eine natürliche Bestimmung
sich entfaltet. Daß ein so auf Tätigkeit gegründetes Leben, ein
so strebendes Sich-Bemühen ein ständiges Irren bleiben muß,
wenn es mit dem höchsten Maßstab des Absoluten gemessen
wird, gibt ihm seine Größe und seinen tragischen Charakter.

Goethe hat den «Faust», nachdem er sein Leben lang daran
geschaffen hatte, in den letzten fünf Jahren seines Daseins in
unermüdlicher Arbeit zum Abschluß gebracht. Immer noch
galt es, erkannte Lücken auszufüllen, Übergänge zu schaffen,
Dunkelheiten zu klären, Unebenheiten auszugleichen. Im
August 1831 konnte er, innerlich beglückt und hoch befriedigt, die Arbeit für abgeschlossen erklären und das Ganze
versiegeln, damit er sich nicht mehr veranlaßt fühle, neue
Veränderungen, Ergänzungen und Verbesserungen vorzu-
nehmen. Er hat zwar das Siegel noch einmal aufgebrochen,
aber keine wesentlichen Veränderungen mehr angebracht.
«Wenn es noch Probleme genug enthält», schrieb er im Juli
1831 [67], «indem, der Welt- und Menschengeschichte gleich,
das zuletzt aufgelöste Problem immer wieder ein neues auf-
zulösendes darbietet, so wird es doch gewiß denjenigen erfreuen, der sich auf Miene, Wink und leise Hindeutung versteht. Er wird sogar mehr finden, als ich geben konnte. Und
so ist nun ein schwerer Stein über den Berggipfel auf die andere
Seite hinabgewälzt. Gleich liegen aber wieder andere hinter
mir, die auch wieder gefördert sein wollen, damit erfüllt
werde, was geschrieben steht: Solche Mühe hat Gott dem
Menschen gegeben.»

ANMERKUNGEN

1. Rudolf Wildbolz in der literarischen Beilage des «Bund», Bern, Nr. 583, vom 12. Dezember 1952.
2. Eine Ausnahme bildeten seine Vorträge in weiterem, öffentlichem Rahmen und seine Reden bei großen, festlichen Anlässen, die er meistens vorher ausgearbeitet und manchmal auch diktiert hatte.
3. Literarische Beilage des «Bund», Bern, Nr. 50, vom 13. Dezember 1942.
4. Vom 12. Januar 1948.
5. «Schweizerische Akademiereden». Im Auftrag der Erziehungsdirektion des Kantons Bern gesammelt und herausgegeben von Fritz Strich, Paul Haupt, Bern, 1945.
6. Fritz Strich, «Der Dichter und die Zeit». Francke Bern 1947, S. 44.
7. Martin Schlappner, «Neue Zürcher Zeitung», Nr. 3376, vom 28. August 1963, Blatt 5, Morgenausgabe.
8. Rudolf Wildbolz in der literarischen Beilage des «Bund», Bern, Nr. 583, vom 12. Dezember 1952.
9. Literarische Beilage des «Bund», Bern, Nr. 50, vom 13. Dezember 1942.
10. Literarische Beilage des «Bund», Bern, Nr. 583, vom 12. Dezember 1952.
11. «Zeitschrift für Deutschkunde», Teubner Leipzig, Jahrgang 1925 und Jahrgang 1926. Der Aufsatz über Rilke ist auch in Strichs Buch «Dichtung und Zivilisation», Beck München 1928, aufgenommen worden, derjenige über George steht bisher nur in der «Zeitschrift für Deutschkunde», obwohl beide Aufsätze sehr eng zusammengehören.
12. Vgl. das Vorwort zur vierten und zur fünften Auflage von Strichs Werk: «Deutsche Klassik und Romantik oder Vollendung und Unendlichkeit. Ein Vergleich.» Francke Bern 1949 und 1962.
13. «Kunst und Leben», Francke Bern und München 1960.
14. Im Winter 1948/49 hielt er seine Faustvorlesung auch in dem benachbarten Solothurn.

15. Fritz Strich, «Der Dichter und die Zeit». Francke Bern 1947, S. 171 ff.
16. Fritz Strich, «Kunst und Leben», Francke Bern und München 1960, S. 59 ff.
17. Francke Bern, 1. Auflage 1946, 2., verbesserte und ergänzte Auflage 1957.
18. Niemeyer Halle 1910.
19. Vgl. Anm. 55, 62, 63, 64, 65, 66.
20. In Knittlingen in Schwaben, dem Geburtsort des geschichtlichen Faust (siehe Witkowski Band 2, S. 15, und neuerdings DTV-Goethe-Gesamtausgabe Band 8, S. 208), befindet sich heute eine Faust-Gedenkstätte, in welcher die Bücher, Bilder und Dokumente zur Geschichte der Faustgestalt vom 16. Jahrhundert bis in die Gegenwart gesammelt werden. Fritz Strich hat leider dieses Museum, das sicherlich für seine Forschungen wertvoll gewesen wäre, nicht mehr benützen können.
21. Pniower S. 215.
22. Vierter Akt, Anfang.
23. 5. Mai 1798.
24. 13. September 1800.
25. 16. September 1800.
26. Eckermann 6. Mai 1827.
27. Paralipomena I.
28. Pniower S. 126 f.
29. 7. März 1830.
30. Pniower S. 287.
31. Pniower S. 257.
32. W. A., Werke 48: 205.
33. Eckermann 13. Februar 1831.
34. Pniower S. 116.
35. mit Schubarth vom 3. November 1820.
36. Houben S. 656.
37. Vgl. Schillers «aesthetischer Schein» und Spiel. «Über die aesthetische Erziehung des Menschen» im 26. Brief.
38. Eckermann 20. Dezember 1829.
39. Vgl. Fritz Strich: «Homunculus» in «Kunst und Leben», Francke Bern und München 1960, S. 59 ff., und die Anmerkungen zu diesem Aufsatz in seinem ersten Druck (Publications of the English Goethe Society, London, Vol. XVIII, 1949).

40. 26. Februar 1824.
41. Zahme Xenien III, nach der ersten Enneade des Plotin ver-
    faßt. Buch V, Cap. 9.
42. Eckermann 26. Februar 1824.
43. W. A. IV, Briefe 43: 82.
44. 16. Dezember 1829.
45. 29. Januar 1827.
46. an Knebel 13. Oktober 1817. W. A. IV, Briefe 28: 277.
47. Schluß des Gedichtes «Der Bräutigam», 1828.
48. Eckermann 5. Juli 1827.
49. Eckermann 5. Juli 1827.
50. Eckermann 18. Januar 1827.
51. Eckermann 11. März 1828.
52. Eckermann 10. Februar 1830 und Biedermann VII, S. 205.
53. W. A., Werke 42, II: 197.
54. W. A. IV, Briefe 34: 5.
55. 6. Juni 1831.
56. 6. Juni 1831.
57. 24. November 1809, Mitteilungen über Goethe.
58. 4. Februar 1829.
59. An Zelter 19. März 1827.
60. Eckermann 11. März 1828.
61. Eckermann 1. September 1829.
62. Eckermann 6. Juni 1831.
63. Eckermann 6. Mai 1827.
64. 3. November 1820.
65. Erster Entwurf zu Helena.
66. Aus «Kunst und Altertum». Helena. Zwischenspiel zu Faust.
67. An Heinrich Meyer (Pniower S. 267).

165

BIBLIOGRAPHISCHES

Eine ausführliche Bibliographie zu geben, ist hier nicht möglich. Fritz Strich hat die Goethe-Literatur, so weit sie ihm nur immer zugänglich war, gekannt und noch bis kurz vor seinem Tode genauestens verfolgt. Einen großen Teil davon hat er selber besessen. Aber er arbeitete aus den Quellen, aus Goethes Werken selbst und aus den Briefen und Gesprächen.

Auch die verschiedenen Goethe-Ausgaben hat er natürlich gekannt. Einige davon standen in seiner eigenen Bibliothek.

An der *Artemis-Gedenkausgabe* von Goethes Werken, Briefen und Gesprächen, 24 Bände hrg. von Ernst Beutler, Zürich und Stuttgart 1949, war er als Mitarbeiter beteiligt, und ebenfalls an der *DTV-Gesamtausgabe*, 45 Bände hrg. von Peter Boerner, München 1961–1963.

Zitiert wird im vorliegenden Buche nach der *großen Weimarer Sophien-Ausgabe* (1887–1920), Abkürzung *W.A.*

Goethes Faust selbst wird zitiert nach Georg *Witkowski*, 9. vielfach verbesserte Auflage. 2 Bände, Leiden 1936.

1. Bd.: Erster und zweiter Teil, Urfaust, Fragment, Helena, Nachlaß.
2. Bd.: Kommentar und Erläuterungen, Literatur, Faustwörterbuch.

Zitate aus Briefen und Gesprächen werden, wenn immer möglich, nach dem Datum angegeben, so daß sie in jeder Ausgabe gefunden werden können.

Biedermann bezeichnet Goethes Gespräche, hrg. von Woldemar Freiherr von Biedermann, 9 Bände, Leipzig 1889–1891.

Houben: Johann Peter Eckermann, «Gespräche mit Goethe in den letzten Jahren seines Lebens». 21. Originalauflage nach dem ersten Druck, dem Originalmanuskript des dritten Teils und Eckermanns handschriftlichem Nachlaß neu hrg. von H.H.Houben ... Leipzig 1925.

Pniower: Otto Pniower, «Goethes Faust, Zeugnisse und Excurse zu seiner Entstehungsgeschichte», Berlin 1899.

Der Briefwechsel zwischen Schiller und Goethe wurde zitiert nach der dreibändigen Ausgabe von Hans Gerhard *Gräf* und Albert *Leitzmann*, Insel, Leipzig 1912.

Die deutsche Übersetzung der Stellen aus *Marlowes* «Faust» ist – mit einigen Änderungen von Fritz Strich selbst – aus dem zweiten Band von *Witkowski* (s.o.) übernommen.